PETER NEUNER

RELIGION ZWISCHEN KIRCHE UND MYSTIK

PETER NEUNER

RELIGION ZWISCHEN KIRCHE UND MYSTIK

Friedrich von Hügel und der Modernismus

VERLAG JOSEF KNECHT · FRANKFURT AM MAIN

ISBN 3-7820-0376-4

Gesamtherstellung: Wiesbadener Graphische Betriebe GmbH, Wiesbaden

Heinrich Fries
zum 65. Geburtstag

VORWORT

In der innerkirchlichen Auseinandersetzung unserer Tage wird nicht selten ein Wort gebraucht, das schon in Vergessenheit geraten schien: der *Modernismus.* Man argumentiert mit einem Begriff der Kirchengeschichte, jener Zeit der scharfen Auseinandersetzung zwischen dem aufbrechenden Geschichtsbewußtsein in der Theologie und dem traditionellen Lehramt. Im Vergleich zu mancher heutzutage diskutierten, als progressiv geltenden theologischen Meinung halten viele den historischen Modernismus nur für ein unbedeutendes Vorspiel.

Solche Ansichten bestechen auf den ersten Blick. Die Ungeklärtheit des Begriffs »Modernismus« jedoch, der die »Zusammenfassung aller Häresien« bedeutete, verführt dazu, heute den gleichen Vorwurf gegen alles, was neu ist und deshalb als suspekt empfunden wird, zu erheben: man braucht ja nicht im einzelnen zu begründen, worin die Irrlehre besteht. Dank seiner inhaltlichen Unbestimmtheit begegnet das Wort oft als »liebloses und gehässiges Schimpfwort« (so K. Rahner–H. Vorgrimler, Kleines theologisches Wörterbuch, Freiburg–Basel–Wien 1961, 243) für jeden Versuch eines Heutig-Werdens des Glaubens, auch für ein berechtigtes und stets notwendiges Aggiornamento.

Während in Frankreich und im englischen Sprachraum der Modernismus Gegenstand eingehender historischer und systematischer Untersuchungen geworden ist, steht die Modernismusforschung in Deutschland noch am Anfang. Die Modernismus-Vergessenheit der Theologie scheint geradezu die Voraussetzung dafür zu sein, daß der Modernismusvorwurf in oft kaum differenzierter Weise erhoben werden kann. In Deutschland sind sogar die Namen seiner wichtigsten Vertreter, A. Loisy, G. Tyrrell, F. von Hügel, R. Murri und E. Buonaiuti, weitgehend unbekannt. Um so weniger lassen sich die berechtigten Anliegen des Modernismus von den einseitigen und vielleicht auch gefährlichen Erscheinungen, die sich mit ihnen verbanden und deshalb zu Recht verurteilt wurden, trennen.

Unter den genannten Theologen hatte *Baron Friedrich von Hügel*, der in diesem Buch vorgestellt werden soll, die intensivsten Beziehungen zu Deutschland. Er wurde als der »Laienbischof der Modernisten«, als der Verbindungsoffizier der Bewegung bezeichnet. Ihm ist es zu verdanken, daß die Theologen, die in vielfältiger Weise an der spirituellen und theologischen Erneuerung der Kirche arbeiteten, untereinander in Kontakt kamen und sich gegenseitig beeinflussen konnten. Sein Wirken führte aber auch dazu, daß diese verschiedenen Tendenzen als eine einheitliche Schule erscheinen und gemeinsam als »Modernismus« verurteilt werden konnten. Eine primär biographisch orientierte Studie über Friedrich von Hügel, wie sie hier vorgenommen wird, führt mitten in die Modernismuskrise: sie ist geeignet, die Tendenzen und die Gefahren dieser Bewegung deutlich zu machen und gleichzeitig einen Einblick in die Art zu gewähren, wie die Auseinandersetzungen am Beginn unseres Jahrhunderts geführt wurden.

Die theologischen Themen, die im Verlauf der Darstellung in den Blick kommen, sind nicht allein die Probleme vergangener Zeiten: von den Ereignissen um den Modernismus wurde die Kirche des 20. Jahrhunderts zutiefst geprägt. Auf die Jahrzehnte der Pius-Päpste fallen durch diese Geschehnisse scharfe Schlaglichter. Es wird aber auch deutlich, was man möglicherweise herbeisehnt, wenn man sich heute die »gute alte Zeit« zurückwünscht. Das Leben Friedrich von Hügels ist beispielhaft für das Geschick eines bewußten und entschiedenen Christen. Die Bemühung dieses Laien, auch in schwerster Zeit sowohl der wissenschaftlichen Forschung mit all ihren Fragen und Schwierigkeiten als auch der Kirche als Gemeinschaft der Glaubenden unbedingt die Treue zu wahren, berührt Probleme, die uns heute aufs neue betreffen. Im Gegensatz zu manchen seiner Freunde, der in den Auseinandersetzungen bitter wurde und von sich aus mit der Kirche brach, war sein Ziel, vorbehaltlose wissenschaftliche Redlichkeit mit einem unbedingten Beheimatet-Sein in der Kirche zu verbinden. Sein Grundsatz sollte gerade in unserer Zeit, in der sich die Polarisierung nicht mehr so dramatisch vollzieht wie in den Kontroversen um den Modernismus, in der aber eine lautlose innere Entfremdung von der Kirche nicht weniger gefährlich und folgenschwer ist, neu bedacht werden. Hier werden Probleme offenkundig, die im Verborgenen die unseren sind.

Man würde Friedrich von Hügel nicht gerecht, wenn man ihn nur in seiner Rolle als »Verbindungsoffizier« gelten ließe. Die Hochschätzung, die er bei Theologen und Philosophen in ganz Europa genossen hat, seine Freundschaft mit vielen der angesehensten katholischen und evangelischen Gelehrten seiner Zeit ließen sich nicht erklären, wenn er nicht auch selbst eine eigenständige, kraftvolle und lebensfähige Theologie entfaltet hätte. Biographie und Theologie verbinden sich hier in einer Weise, die es unumgänglich macht, mit den Lebensschicksalen immer auch die theologische Konzeption vorzustellen und zu erläutern. Ohne seine theoretische Fundierung bliebe dieses Leben Bruchstück und in sich unverständlich.

Die mehr systematisch orientierten Abschnitte dieses Buches sind in sich vielleicht nicht immer ganz einfach zu le-

INHALTSÜBERSICHT

Friedrich von Hügels Bildungsjahre 15
Die Bedeutung der Erfahrung für die Erkenntnis. . . . 24
Erfahrung und Person. 35
Die Wahrheit der Erfahrung 46
Mystik als religiöse Erfahrung 49
Persönliche Frömmigkeit und kirchliche Autorität . . . 55
Freiheit der Wissenschaft und Treue zur Kirche 66
Die Freundschaft mit George Tyrrell 84
Die Religion und ihre Elemente 91
Fehlformen der Religion 96
Die Modernismuskontroverse 105
War Friedrich von Hügel Modernist? 120
Der Kampf um die Wirklichkeit Gottes 127
Theologie und spirituelle Beratung. 134
Späte Ehrungen 143
Abkürzungen 149
Literaturverzeichnis. 150
Personenverzeichnis. 152
Zeittafel 155

Im August 1907 trafen sich in Molveno, einem Kurort bei Trient, eine Reihe von Priestern und Laien – die meisten von ihnen waren Italiener –, um zu beraten, wie sie einer drohenden Exkommunikation entgehen könnten. Ihnen allen war gemeinsam, daß sie als treue Katholiken aus dem Glauben ihrer Kirche leben, aber auch versuchen wollten, diesem Glauben eine neue, der Gegenwart und ihren Fragestellungen entsprechende Gestalt zu geben. Gemeinsam sahen sie sich aber auch wegen dieses Bestrebens in ihrer kirchlichen Existenz schwer bedroht: die verschiedenen Ansätze zu einer Erneuerung der Kirche und der Theologie, um die es ihnen ging, waren wenige Wochen vor diesem Treffen durch ein Dekret des Heiligen Offiziums feierlich als irrgläubig gebrandmarkt und mit dem Verdikt des »Modernismus« belegt worden. Daß diese theoretische Verurteilung nicht das letzte Wort Roms bleiben, sondern bald praktische und weitreichende Konsequenzen für die Betroffenen nach sich ziehen würde, war vorauszusehen.

Die auffallendste Gestalt dieses Treffens war ein 56jähriger Engländer, ein Laie, der sich mit jedem der Anwesenden, mit den Italienern ebenso wie mit den Deutschen und den Franzosen, in dessen Muttersprache unterhalten konnte. Die Beratungen in Molveno allerdings sind an ihm vorübergegangen, weil er fast völlig taub war: *Baron Friedrich von Hügel.* Erst zum Abschluß des Treffens ergriff er das Wort. Er ermunterte seine Freunde zu Gebet und Beharrlichkeit und gab ihnen den praktischen Rat, in der Öffentlichkeit Zurückhaltung zu üben; keinesfalls dürften die als »Modernisten« Verdächtigten als eine einheitliche Schule auftreten. Auf die Angriffe, die zu erwarten seien, sollten sie nicht gemeinsam antworten, denn ihre Einheit liege in ihrer jeweiligen Grundausrichtung, nicht aber in einem geschlossenen und ihnen allen gemeinsamen System. Vor allem aber legte er seinen Freunden immer wieder ans Herz: »Wir wollen beten, wir wollen uns vorbereiten.« Die Teilnehmer dieses Treffens haben von dem unvergeßlichen Eindruck berichtet, den die kurze Abschiedsrede Friedrich von Hügels hinterließ: seine Worte, mit prophetischer Kraft und Vollmacht gesprochen, ließen alle an die Abschiedsrede des Apostels Paulus vor den Ältesten der Gemeinde zu Ephesus denken. Diese Ansprache hat den Ruf begründet, der von Hügel von nun an begleitete: der »Laienbischof der Modernisten« zu sein.

FRIEDRICH VON HÜGELS BILDUNGSJAHRE

Friedrich von Hügel entstammte einem alten rheinischen Adelsgeschlecht[1]. Sein Vater, *Karl von Hügel*, war aus Gegnerschaft zu Napoleon in österreichische Dienste getreten. Er hatte sich in Wien mit der Gräfin *Melanie Zichy Ferraris* verlobt; die Verlobung wurde jedoch gelöst, als sich Fürst *Metternich* um die junge Gräfin bemühte, die 1831 dann auch dessen dritte Frau wurde. Karl von Hügel verließ enttäuscht den österreichischen Staatsdienst und begab sich auf eine sechs Jahre dauernde Reise über Ägypten nach Ceylon, Indien, Australien und Neuseeland.

Bei seinem Aufenthalt in Indien lernte Karl von Hügel die Familie des aus Schottland stammenden Generals *Francis Farquharson* kennen. Nachdem er wieder in den österreichischen Dienst getreten und zum Gesandten am großherzoglichen Hof in Florenz ernannt worden war, heiratete er 1851, bereits 56jährig, die 19jährige Tochter des Generals, *Elizabeth Farquharson.* Ein Jahr später, am 5. Mai 1852, wurde Friedrich als das älteste der drei Kinder der Familie von Hügel geboren. Der Vater scheint sich um die Erziehung kaum gekümmert zu haben, auch in religiöser Hinsicht förderte er seine Familie nur wenig. Dennoch konvertierte unter seinem Einfluß seine Frau wenige Jahre nach der Geburt ihres ältesten Sohnes vom Presbyterianismus zum Katholizismus.

[1] Zur Biographie vgl. vor allem M. de la Bedoyère, The Life of Baron von Hügel, London 1951.

1859 übernahm Karl von Hügel eine Stelle im auswärtigen Dienst in Brüssel. Hier verlebte Friedrich seine entscheidenden Bildungsjahre. In Florenz hatte eine protestantische Freundin seiner Mutter seine Erziehung geleitet, in Brüssel wurde sie von einem lutherischen Pastor und einem katholischen Historiker überwacht. Im Zusammenhang mit dem preußisch-österreichischen Krieg verließ Karl von Hügel 1867 den diplomatischen Dienst und siedelte sich in Torquay in Südengland an. Als er auf einer Reise nach Wien plötzlich verstarb, war sein Sohn Friedrich 18 Jahre alt. Zur Beisetzung seines Vaters eilte Friedrich nach Wien.

Dort traten zwei Ereignisse ein, die sein Leben für die Folgezeit zutiefst bestimmen sollten. Er erkrankte an Typhus. Zwar konnte er den Anfall überwinden, aber er blieb schwerhörig, ein Umstand, der das äußere Bild des jungen Barons, mehr aber noch seine innere Entwicklung prägte. Jede allgemeine Unterhaltung ging von jetzt ab an ihm vorüber. Längere Zeit hindurch konnte er noch, wie er Rudolf Eucken mitteilte, »Zwiegespräche mit etwas klarer und lauter als gewöhnlich Redenden ... ganz gut und alltäglich zu Stande« bringen. Gegen Ende seines Lebens jedoch schrieb er mit einer gewissen Bitterkeit: Ich bin jetzt »seit über 50 Jahren taub«. Das geplante Universitätsstudium konnte er unter diesen Umständen nicht aufnehmen. So hat er weder eine öffentliche Schule noch eine Universität besucht.

Die Welt, die sich dem jungen Baron von Hügel bisher immer von ihrer besten Seite gezeigt hatte, erschien ihm plötzlich kalt, leer und nichtssagend. Diese Erfahrung führte ihn in eine schwere geistige und religiöse Krise. Ein holländischer Dominikaner, dem er sich noch in Wien in seinen Nöten anvertraut hatte, gab ihm Rat und Hilfe. Dieses Ereignis bezeichnete er in späteren Jahren als seine Konversion. Er schrieb darüber: »Von meinem 13. bis zu meinem 18. Lebensjahr hätte ich gezögert, eine Zugehörigkeit zur Kirche zu betonen.«[2] Nach diesem Erlebnis jedoch wurde Religion einer der Hauptfaktoren, vielleicht *die* zentrale Kraft seines Lebens.

Durch jene Ereignisse wurde von Hügels weiteres Leben in großen Zügen vorgezeichnet. Zum Mittelpunkt wurde in stets zunehmendem Maße die Religion, die *persönliche Erfahrung Gottes*. Sie prägte seine Einstellung zur Religion – die gemeinschaftliche, kirchliche, institutionelle Dimension der Religion, die kirchliche Eingebundenheit der persönlichen Erfahrung, das Stehen in einem Traditionszusammenhang blieb zuerst noch im Hintergrund. Aber der Kampf um die kirchlich-institutionelle Seite der Religion sollte zum Charakteristikum seines Lebens werden.

Obwohl der Baron weder eine öffentliche Schule noch eine Universität besucht hatte, hatte er dennoch eine sorgfältige geistige Ausbildung erfahren. Seiner in verschiedenen Ländern Europas verbrachten Jugendzeit verdankte er seine englischen, deutschen, italienischen und französischen Sprachkenntnisse; er war mit dem klassischen Bildungsgut vertraut, jedoch (noch) nicht mit der griechischen Sprache. In der Brüsseler Zeit hatte er sich intensiv mit Geologie beschäftigt, vor allem aber in das historische Denken eingeübt. Seine private Ausbildung führte dazu, daß er sich später nie an offizielle Schultraditionen gebunden hat. Seine Fragestellungen kamen nicht aus den überlieferten Problemstellungen. Das machte sich vor allem in seiner späteren theologischen Arbeit bemerkbar: er hat nicht die weithin herrschende neuscholastische Tradition übernommen, sondern sich mit Problemen beschäftigt, die ihm seine persönliche, auf unmittelbare Erfahrung gründende Frömmigkeit stellten. Dazu kamen die Fragen, die sich aus den modernen Wissenschaften, besonders

[2] *N. Abercrombie*, Friedrich von Hügel's Letters to Edmund Bishop, in: The Dublin Review 227 (1953) S. 289.

aber aus der historischen Ausrichtung aller Weltbetrachtung für die Theologie ergaben und denen die Neuscholastik in der zweiten Hälfte des 19. Jahrhunderts in keiner Weise gerecht wurde.

In der theologischen Fragestellung, die für von Hügel mehr und mehr an Interesse gewann, war er reiner Autodidakt. Er suchte diesen Mangel dadurch wettzumachen, daß er in vielfältiger Weise mit Theologen Kontakt aufnahm, von denen er sich eine Erneuerung der Theologie erhoffte, in deren Werk er etwas von dem verwirklicht sah, was ihn bewegte: die positive Wertung der individuellen Frömmigkeit und die Begegnung mit den modernen Wissenschaften, besonders mit der historischen Forschung. Dabei kamen ihm seine sprachlichen Fähigkeiten ebenso zugute wie seine gesellschaftliche Stellung.

Im November 1873 heiratete von Hügel *Mary Herbert*, die Tochter des Lord Herbert of Lea, eines Freundes Gladstones. Mary Herbert war wenige Jahre zuvor zusammen mit ihrer Mutter zur katholischen Kirche konvertiert. Beide Damen waren eifrige Katholiken; sie arbeiteten eng mit den späteren Kardinälen Newman und Vaughan zusammen. Die Familie der Herbert scheint diese Verbindung mit Zurückhaltung aufgenommen zu haben; denn die von Hügels standen gesellschaftlich deutlich unter den Herberts. Andererseits eröffnete die Heirat mit Mary dem jungen Friedrich eine Fülle von Kontakten zu den höchsten kirchlichen Kreisen Englands und Europas.

Bischöfe waren häufige Gäste im Hause von Hügels. Im Tagebuch des 25jährigen Friedrich sind Briefe an Père *Mercier*, den späteren Kardinal von Mecheln und den Initiator der Mechelner Gespräche zwischen der anglikanischen und der katholischen Kirche, und an J. H. Newman vermerkt. *William Ward*, der kämpferische Konvertit und entschiedenste Verfechter der päpstlichen Unfehlbarkeit, wohnte in Kensington in unmittelbarer Nachbarschaft; mit ihm unternahm er häufig ausgedehnte Spaziergänge. In ihren theologischen Überzeugungen waren William Ward und von Hügel, vor allem hinsichtlich der Fragen der Autorität der Kirche, der Bedeutung der Neuscholastik und der Wertung historischer Erkenntnisse für die Theologie zutiefst uneins. Dennoch sagte von Hügel über Ward, daß er es gewesen sei, »der mir in entscheidender Weise den Geist öffnete, der mich zu denken und meinen Verstand zu gebrauchen lehrte« (Bed S. 34). Auch mit Kardinal *Manning*, dem Wortführer der Infallibilisten auf dem I. Vatikanum, traf von Hügel mehrmals in privatem Gespräch zusammen.

Nachhaltigeren Einfluß auf die weitere Entwicklung gewann indessen sein Kontakt mit *J. H. Newman*, dem späteren Kardinal. Im Juni 1876 verbrachte er mit ihm eine Woche in intensivem Gedankenaustausch. Seine Aufzeichnungen über jene Gespräche bezeichnen die Themen, die man diskutiert hat: die Frage nach der Glaubensgewißheit, der Unfehlbarkeit, der weltlichen Macht der Kirche und dem stellvertretenden Leiden Jesu. Durch Newman lernte von Hügel, wie er später schrieb, sich »der Zugehörigkeit zur katholischen und römischen Kirche zu rühmen« (ME I S. XXXI).

Vor allem Newman hatte von Hügel es zu verdanken, Religion nicht nur als persönliche Erfahrung des lebendigen Gottes, sondern auch in ihrer *kirchlichen Dimension* zu verstehen, den Gemeinschaftsbezug und die historische Eingebundenheit aller Religion positiv zu werten. Die konkrete, verfaßte Kirche und die Treue zu ihr erlangte fortan im Hügelschen Denken eine immer größere Bedeutung. Allerdings ist auch zu bemerken, daß sich von Hügel und Kardinal Newman persönlich offensichtlich nicht sehr gut verstanden haben. Verschiedentlich begegnet in den Werken und noch deutlicher in den Briefen von Hügels die Notiz, daß Newman auf ihn immer bedrückend gewirkt habe.

Friedrich von Hügel war zeitlebens von labiler Gesundheit. Ausdrücke wie »den ganzen Tag im Bett verbracht«, »an quälenden Schmerzen leidend« oder auch »am Rande des Zusammenbrechens« erscheinen in seinen Briefen und Tagebuchaufzeichnungen immer wieder. Ähnlich war es um die gesundheitliche Verfassung seiner Frau bestellt. Um den Wintern in London zu entgehen, verbrachten beide in den Jahren zwischen 1893 und 1903 die kalte Jahreszeit im Süden, zumeist in Rom. Die zweimaligen Reisen in jedem Jahr zwischen London und Rom benutzte von Hügel, um Kontakte mit den Theologen und Philosophen herzustellen, von denen er sich eine Antwort auf seine Fragen erhoffte. Jene Verbindungen, besonders aber die persönlichen und wissenschaftlichen Kontakte, die er zwischen seinen Freunden und Bekannten herstellte, sollten in der Folgezeit der Entstehung des »Modernismus« und seiner Beurteilung durch die kirchlichen Behörden von kirchengeschichtlicher Bedeutung werden.

In erster Linie sind hier die Beziehungen von Hügels zu französischen Theologen zu nennen. 1884 hielt er sich zwei Monate in Paris auf, wo er mit Duchesne und Abbé Huvelin zusammentraf. Mit beiden verband ihn hinfort eine lebenslange Freundschaft. Louis Duchesne, den Professor am Institut Catholique und späteren Direktor an der École française in Rom, bewunderte von Hügel als hervorragenden Historiker. In seinem Werk sah er in vorbildlicher Weise die historische Forschung in die theologische Arbeit eingebracht. Hier fand er ein *geschichtliches Denken*, das seinen eigenen Gesetzen folgte und sich seine Ergebnisse nicht durch dogmatische Postulate vorherbestimmen ließ. Allerdings kritisierte er verschiedentlich, daß Duchesne in seinen Schriften, vor allem aber im privaten Gespräch mit beißender Ironie kirchliche Mißstände brandmarkte, daß er sich aber in der kirchenpolitischen Öffentlichkeit, besonders dann, wenn es gefährlich zu werden drohte, völlig zurückhielt.

Uneingeschränkt war und blieb dagegen von Hügels Bewunderung für *Henri Huvelin*, den französischen Abbé, der ihm als das leuchtendste Beispiel eines Heiligen erschien. »Diesem Franzosen verdanke ich mehr als irgend jemandem sonst, den ich kennengelernt habe« schrieb er noch 1920 in einem Aufsatz über die Übernatur (EA I S. 286); und zwei Jahre später vermerkte er, Huvelin sei es gewesen, der geholfen habe, »meinen Glauben und meinen Verstand in den schrecklichen Jahren 1906 bis 1914 zu bewahren«. Von Hügel verglich Huvelin mit Newman. Er bewunderte an dem französischen Abbé, daß »jemand, der von seinem natürlichen Temperament her sogar noch melancholischer war als Newman selbst, der körperlich in einer Weise krank war, wie es Newman niemals gewesen ist, in Wahrheit soviel geistliche Freude ausstrahlen und verbreiten konnte, wie dieser Priester es tat. Ich gewann den Eindruck, daß Newman seine frühe puritanische, prädestinatorische Ausbildung niemals hat überwinden können, während Huvelin von Kindheit an seine Seele in der katholischen Spiritualität, wie sie im heiligen Franziskus ihre Blüte entfaltet hat, nährte«. An dieser Fähigkeit, Freude zu verbreiten, scheiden sich nach von Hügels Überzeugung die Geister: »So fühlte und fühle ich, daß Newman tatsächlich selig gesprochen werden könnte, aber nur Huvelin könnte heilig gesprochen werden« (EA II S. 242).

Dem Einfluß Abbé Huvelins hatte Charles de Foucauld seine Konversion zu verdanken; er wurde fortan dessen »geistlicher Leiter«, wie der Briefwechsel zwischen beiden eindrucksvoll beweist.[3] Auch für Friedrich von Hügel spielte Huvelin jahrelang die Rolle eines Seelenführers. Auf die Funktion des »geistlichen Direktors« legten beide größten Wert. Wachstum im geistlichen Leben bedarf nach beider

[3] *J. F. Six*, Charles de Foucauld – Abbé Huvelin, Briefwechsel, Salzburg 1961.

Überzeugung der Leitung von außen. Gerade der Mensch, der sich um die Frömmigkeit, um die religiöse Erfahrung bemüht, steht immer in Gefahr, sich von seiner Umgebung zu isolieren, in einem besonderen innerlichen Erleben die Erfüllung seiner Sehnsucht zu suchen und damit schließlich geistlich unfruchtbar zu werden. Der geistliche Leiter aber repräsentiert die Bewegung der Religion von außen nach innen, die Tatsache, daß der Glaube vom Hören kommt. Er vermittelt den Kontakt des religiös erwachten Menschen mit seiner Umgebung und mit der normalen Form christlicher Verwirklichung. Huvelin blieb als geistlicher Führer von Hügels beständiges Vorbild. Das wurde besonders eindrucksvoll spürbar, als der Baron in seinen späteren Jahren in London seinerseits den Ruf eines spirituellen Beraters genoß, der der Stellung Huvelins in Paris fünfundzwanzig Jahre früher nicht unähnlich war.

Huvelin stand in der großen Tradition der französischen *spirituellen Theologie,* die durch die alles beherrschende Neuscholastik am Ende des 19. Jahrhunderts immer mehr an Einfluß verlor. Die Neuscholastik vermochte mit ihren intellektuellen, oftmals spitzfindigen Unterscheidungen die persönliche Frömmigkeit kaum zu befruchten. Sie dachte vom Ganzen und vom System her; der einzelne kam allein als Anwendung des allgemeinen Gesetzes in den Blick. Die Bemühung um den Menschen, seine religiösen Erfahrungen und Sehnsüchte, die eine spirituelle Theologie kennzeichnet, die nicht nur Allgemeingültigkeit, sondern persönliche, individuelle Angesprochenheit vermitteln will, hatte in der Neuscholastik kaum Platz. Zwischen der persönlichen Frömmigkeit und der offiziellen Theologie mußten darum erhebliche *Spannungen* entstehen. Sie drücken sich besonders eindrucksvoll in den geistlichen Regeln aus, die Huvelin dem Baron anläßlich ihres ersten Zusammentreffens übergeben hat. Hier heißt es: »Ob sich Theologen irren? Ich glaube, sie irren sich sogar *oft*! Die Wissenschaften und die Erfahrung haben einen weiten Weg zurückgelegt, seit die Theologie stehen geblieben ist.« – »Sei ganz redlich – die Rechtgläubigkeit wird der Redlichkeit folgen«. »Suche die Wahrheit, nicht die Rechtgläubigkeit – die Rechtgläubigkeit muß sich nach der Wahrheit richten.« – »Die Kirche ist ganz positiv und ganz unabhängig. Das ist etwas sehr viel Größeres als Anti-Protestantismus, als Anti-Rationalismus«, und »Wunder sind mir sehr unsympathisch« (SL S. 58–63).

Die Theologie muß – so lernte von Hügel durch Huvelin, und diese Lehre fiel auf fruchtbaren Boden – in zwei Richtungen weiterentwickelt werden: sie muß die Erkenntnis der Welt und der gegenwärtigen philosophischen und wissenschaftlichen, vor allem der historischen Forschung ernstnehmen, und sie muß den Menschen als Subjekt des Glaubens in den Blick fassen. Bemühung um *religiöse Erfahrung* und um *wissenschaftliche Redlichkeit*, besonders in der historischen Forschung, kennzeichneten fortan von Hügels Arbeit: sein Haupt- und Lebenswerk widmete er der Erforschung der Mystik.

Leben und Lehre – Theorie und Praxis fallen bei von Hügel in auffallender Weise zusammen: seine theologische Arbeit deutet sein Lebensgeschick, die Biographie verleiblicht seine theoretischen Ansätze. Leben und Lehre interpretieren sich gegenseitig. Darum erweist es sich als sinnvoll, an dieser Stelle bereits einige Grundzüge der Hügelschen Theologie darzustellen. Die Theorie der Erfahrung als besondere, in sich stehende und legitime Form der Erkenntnis prägte von Hügels Leben, vor allem seine Aktivitäten in der Modernismuskontroverse. Seine auf der Erfahrung gründende Theologie, seine Beschäftigung mit der Mystik bilden gleichsam das Gerüst, das nachfolgend in den biographischen Darlegungen deutlich werden soll.

DIE BEDEUTUNG DER ERFAHRUNG FÜR DIE ERKENNTNIS

Die religiöse Erfahrung, das Bewußtsein, daß in, mit und unter der Erfahrung von Welt sich immer ein Mehr-als-Menschliches, ein Absolutes offenbart, wurde für Friedrich von Hügel zum Fundament seiner Theologie. Er begann sich mit der mittelalterlichen Mystik zu beschäftigen. Theresa von Avila, Johannes vom Kreuz, Meister Eckhart und in erster Linie Katharina von Genua waren ihm durch ihre Schriften nahegekommen. Die Beschäftigung mit ihnen wurde ihm nicht nur zum Anlaß persönlicher Erbauung, sondern vielmehr zu einer Quelle, aus der er auch für die wissenschaftliche Erörterung theologischer Probleme ständig neue Fragen und Antworten schöpfte. Mit besonderem Interesse las er die Lebensberichte und Legenden, die sich um die Heilige Katharina und ihr Wirken in der Renaissance rankten. Mehrmals besuchte er ihre Heimatstadt, um durch intensives Quellenstudium ihr Leben und ihre Lehre für die theologische Auseinandersetzung seiner Zeit fruchtbar zu machen.

Der Ansatz bei der religiösen Erfahrung paßte in mehrfacher Hinsicht in die theologische und philosophische Auseinandersetzung der Zeit um die Jahrhundertwende. Jene Jahrzehnte waren weithin geprägt von einem auf breiter Front zu beobachtenden Aufbruch *des religiösen Geistes*. Die religiöse Frage wurde immer wieder, vor allem in Zeitschriften, erörtert. Nachdem sich die Überwindung eines oberflächlichen Rationalismus andeutete, fanden in der philosophischen Auseinandersetzung, aber auch in der Literatur,

Fragen nach einem Mehr-als-Menschlichen, einem Unbedingten und Absoluten neue Beachtung. Häufig führten diese Überlegungen jedoch zu einer verschwommenen, pantheistisch gefärbten *Mystik*, wie sie damals in Deutschland, besonders in den Werken von *Rudolf Steiner* und *Eduard von Hartmann*, verbreitet war. In dieser geistigen Landschaft studierte man mit neu erwachtem Interesse die mittelalterlichen Mystiker. Vor allem die Beschäftigung mit Meister Eckhart sollte helfen, die positiven und berechtigten Ansätze der pantheisierenden Tendenzen dieser Zeit aufzugreifen, also Gott in der Welt zu finden, gleichzeitig aber die Transzendenz und Weltüberlegenheit Gottes festzuhalten.

Daneben entsprach die Erforschung der Mystik und die Betonung der Erfahrung der modernen Philosophie in ihrer *Hinwendung zum Subjekt*. Die Neuscholastik, die jedenfalls mit Ende des 19. Jahrhunderts kirchenamtlich in der katholischen Theologie fast ausschließliche Anerkennung gefunden hatte, begann ihr Denken beim vorgegebenen Glaubensobjekt. In der Philosophie errichtete man mittels der Gottesbeweise und durch den Aufweis des Wunders die Fundamente, auf denen das Ganze des theologischen Systems beruhte. Der einzelne, der gläubige Mensch, wurde als die Erfüllung des allgemeingültigen Gesetzes innerhalb des Systems gesehen. Jeder Einzelfall wurde davon umfaßt und immer vom Ganzen her betrachtet. Der einzelne galt lediglich als Konkretion des Systems.

Die moderne Philosophie hatte den Weg der natürlichen Erkenntnis, durch Gottesbeweis und Interpretation des Wunders zu der Transzendenz vorzudringen, als brüchig erwiesen. Der Gegenstand, das Objekt des Glaubens und der Erkenntnis, stehen nicht so sicher und eindeutig fest, sind nicht so zweifelsfrei und problemlos erkennbar, wie es die Neuscholastik voraussetzte. Die moderne Philosophie begann beim Subjekt, weil das Objekt, das Ding-an-sich, wie es

Kant formuliert hatte, problematisch geworden war. In der Theologie nahm im Zuge dieser Entwicklung die Untersuchung der religiösen Phänomene durch die *Religionspsychologie,* auf der man auch die Religionsphilosophie aufbauen wollte, breiten Raum ein. Thema der Theologie wurde immer mehr der gläubige Mensch, während der Inhalt des Glaubens, die Lehre von Gott und seiner Zuwendung zum Menschen, in zunehmendem Maß zum Problem wurde.

In diese philosophische und theologische Problematik reihte sich von Hügel bewußt ein: er begann seine Untersuchung nicht beim Glaubensobjekt, bei Gott, der Kirche, dem Ganzen des Systems, sondern beim *gläubigen Menschen,* der persönlichen Frömmigkeit, den Erfahrungen der Mystiker, und versuchte hierauf sein theologisches Gebäude zu errichten. Der einzelne ist hier nicht mehr allein die Anwendung eines allgemeinen Gesetzes, sondern die persönliche, individuelle Erfahrung wird die Basis, auf der das System des Glaubens aufruht.

Damit verbanden sich entscheidende Neuansätze in der Sicht der *Kirche:* die traditionelle Theologie geht auch hier vom Ganzen des kirchlichen Systems aus. Der einzelne erscheint dadurch als Christ, daß er sich diesem System einordnet. Der entscheidende religiöse Akt ist der Gehorsam gegenüber dem Amtsträger als dem Repräsentanten der Kirche. Die Mystik nimmt einen anderen Weg: Ausgangspunkt ist wiederum der einzelne und seine Glaubenserfahrung. Als Repräsentant der Religion gilt hier jedoch nicht der Amtsträger, der Papst, der Bischof, der Priester, sondern der *Heilige,* der aus seiner persönlichen Erfahrung sein religiöses Leben gestaltet.

In einer streng mystischen Theologie erscheinen die Inhalte der Religion, die Glaubenslehren, nicht als dogmatisch vorgegebene Sätze, sondern als nachträgliche Formulierungen religiöser Erfahrungen, die so interpretiert werden müssen, daß sie heute wiederum diese Erfahrungen ermöglichen. Die Kirche tritt in dieser Sicht nicht als eine dem einzelnen verpflichtend gegenüberstehende Größe auf, vielmehr wird Kirche durch die Nachfolge derer, die sich an einen Heiligen anschließen, seine Schüler und Nachfahren werden und so dessen Erfahrung für ihr eigenes Leben übernehmen.

Von Hügel legt eine auf der Erfahrung aufbauende Theologie und Ekklesiologie vor. Darin drückte sich seine persönliche Frömmigkeit aus. Es wird aber auch eine Kritik am traditionellen System von Theologie und Kirche sichtbar, in dem der Mensch, seine Fragen, seine Bedürfnisse, seine Probleme und Sehnsüchte, nicht gesehen oder einem allgemeinen Gesetz geopfert wurden. Im Hügelschen Denken und seiner Betonung der religiösen Erfahrung war der *Mensch* in seinen Erwartungen und seinem Streben Ausgangspunkt, von dem her sich die christliche Botschaft entfalten ließ.

Die Wiedergewinnung der Erfahrungsdimension wird heute wiederum als eine der entscheidenden Aufgaben der gegenwärtigen Theologie angesehen. Besonders die praktische Theologie hat weithin erkannt, daß jede christliche Verkündigung zum Scheitern verurteilt ist, wenn sie nicht Fragen und Probleme der Menschen aufnimmt und ihre Botschaft so auszurichten weiß, daß spürbar wird, wie hier menschliche Erfahrungen aufgenommen sind und einer Antwort entgegengeführt werden.

Dabei ist man sich heute weithin darin einig, daß die Wiedergewinnung der Erfahrung eher ein Postulat an die Zukunft als eine bereits vollzogene Wirklichkeit gegenwärtiger Verkündigung ist. So soll hier darzustellen versucht werden, was von Hügel unter »Erfahrung« verstanden hat, wie er sie in seine Theologie aufgenommen und wie er es vermocht hat, den Gefahren einer reinen »Erfahrungstheologie« zu entgehen, die von ihrem Ansatz her die Grenzen des Innermenschlichen nicht mehr durchbrechen könnte.

Erfahrung ist einer der dunkelsten philosophischen Begriffe, und auch von Hügel hat keine umfassende Theorie der Erfahrung entwickelt. Dennoch nennt er eine Reihe von Einzelaspekten, die für sie konstitutiv sind und die es verdienen, in der gegenwärtigen Diskussion neu bedacht zu werden.

Erfahrung ist für von Hügel deutlich vom *Erlebnis* unterschieden. Sie ist weder eine Sache eines besonders intensiven inneren Gefühls, von dem der Erfahrende überwältigt werden müßte, noch ist sie eine rein subjektive Angelegenheit. Man ist keineswegs berechtigt, sich unter der Berufung auf das subjektive Erleben von der allgemeinen Diskussion zurückzuziehen und das individuelle Gefühl an die Stelle des verantwortbaren Arguments treten zu lassen. Erfahrung ist vielmehr die grundlegende Form der Erkenntnis, in der das Subjekt, also der erkennende Mensch, und das Objekt, die zu erkennende Sache, in einer ursprünglichen und ungeschiedenen Einheit gegeben sind. Von Hügel entwickelte den Gedanken, daß Erfahrung immer Subjekt und Objekt umschließt und darum nie den Rückzug allein auf das subjektive Erleben rechtfertigen kann. In der Auseinandersetzung mit *Descartes* und dessen philosophischem Ansatz beim Zweifel schreibt er: »Die Berufung auf die Erfahrung und auf ihre Analyse war dabei richtig; falsch dagegen war die vor einer jeden Untersuchung und ohne jede Rechtfertigung erfolgte Ausschließung eines ganzen Drittels einer jeden lebendigen Erfahrung. Denn jede Erfahrung ist immer dreifaltig: sie ist immer gleichzeitige Erfahrung des Subjekts, des Objekts und des verbindenden Denkens« (RG S. 188). Descartes begann seine Philosophie beim Subjekt als einer in sich stehenden Gegebenheit. Durch die Analyse des Denkens sollte das dem Subjekt entsprechende Objekt gefunden werden. Descartes »begann nicht mit der konkreten Sache, nämlich bei einem Geist, der *etwas* denkt, und mit der Analyse dieser letzten Dreiheit in Einheit (das Subjekt, das Denken, das Objekt), sondern bei dieser reinen Abstraktion – Denken oder Gedanke oder Denken eines Gedanken –, und von diesem irrealen Ausgangspunkt versuchte diese Philosophie das vollkommen problematische Ding, das Objekt, zu erreichen« (EA I S. 186).

Im Gegensatz zu diesen Tendenzen in der modernen Philosophie und Theologie, die in der Folge dazu führten, daß das Denken aus seiner Subjektverhaftetheit nicht mehr ausbrechen und keinen zu erkennenden Gegenstand mehr erreichen konnte, betonte von Hügel, daß jede Erfahrung immer eine Dreiheit ist: sie umfaßt das *Subjekt*, das *Objekt* und das beide verbindende *Erkennen*. Erfahrung ist somit nicht subjektives Erleben, sondern immer Subjekt und Objekt umfassende Erkenntnis. »Wir finden immer eine Organisierung, einen unauflöslichen Organismus von Subjektivem und Objektivem, also eine Einheit in der Verschiedenheit vor, die tatsächlich so groß ist, daß (jedenfalls für unsere eigene Erfahrung und in bezug auf unseren eigenen Geist) weder das Subjektive ohne das Objektive besteht und bestehen kann, noch das Objektive ohne das Subjektive« (ME II S. 114). Erfahrungen werden passiv erlebt, aber gleichzeitig aktiv vollzogen: sie werden »gesammelt« und »gemacht«.

Es geht dabei nicht an, das subjektive und das objektive Element gegeneinander auszuspielen oder zu untersuchen, welches der beiden Momente größere Bedeutung für unsere Erkenntnis hat; auch nicht, ob eine objektive Erkenntnis dadurch gewonnen werden kann, daß man das subjektive Moment möglichst zurückdrängt. »Die wahre Priorität und Überlegenheit liegt nicht in einem dieser Bestandteile im Gegensatz zum anderen, sondern in der ganzheitlichen subjektiv-objektiven Wechselwirkung und deren Resultante, die höheren Ranges ist, und die tatsächlich den voneinander abhängigen Bestandteilen erst ihren Ort und Wert verleiht« (ME II S. 114).

Erfahrung ist somit immer ein *Modell* der Wirklichkeit: sie gibt nicht einfachhin das Ding-an-sich wieder, sie ist vielmehr das Ergebnis der Begegnung, die der Mensch mit der Realität macht, eine Begegnung, bei der beide Seiten, die zu erfahrende Wirklichkeit und das erkennende Subjekt, gleichermaßen gestaltend ineinandergreifen. Diese Vorstellung ist geeignet, eine Konzeption von Religion zu überwinden, die allein vom Subjekt und seiner Frömmigkeit ausgeht und keinen Inhalt des Glaubens findet, oder die ausschließlich das Glaubensobjekt in den Blick bekommt, für die individuelle Frömmigkeit aber nichts beiträgt. Im Hügelschen Denken ist der Mensch immer bereits auf ein Objekt seiner Erfahrung hingeordnet, und der Glaubensinhalt ist auf den erkennenden Menschen bezogen.

Eine nähere Bestimmung der Erfahrung gibt von Hügel in der Entgegensetzung von Erfahrung und einer vom Gesetz geprägten naturwissenschaftlichen Erkenntnis. Wissenschaftliches Erkennen ist durch drei Grundcharakteristika gekennzeichnet: es ist *klar*, *allgemeingültig* und *einheitlich*. Diese Merkmale werden dadurch erreicht, daß die Gegenstände durch den ordnenden Verstand in *räumliche* Bilder übersetzt und damit aufgelöst werden. Dabei wird jede einzelne Wirklichkeit so lange in Teile zerlegt, bis diese in sich einheitlich und von allen anderen Teilen unterschieden sind. Grundeigenschaft von Klarheit, Allgemeingültigkeit und Einheitlichkeit ist die Abgrenzung von allen anderen Wirklichkeiten. Allein dadurch, daß eine Erkenntnis von allen anderen Erkenntnissen getrennt wird, daß eindeutige Grenzen die verschiedenen Bereiche voneinander scheiden, kann sie in sich klar und einheitlich sein und für alle Einzelfälle innerhalb dieses Bereiches in gleicher Weise anwendbar werden.

Im Bereich der geschichtlichen, menschlichen, personalen Wirklichkeiten versagt diese Form des Begreifens; denn hier haben wir es mit Realitäten zu tun, die größer sind als der erkennende Verstand, mit Ganzheiten, die durch eine räumliche Aufgliederung zerstört würden. Diese Wirklichkeiten können, wie von Hügel immer wieder betont, nicht klar und umfassend begriffen, wohl aber unbegrenzt erfahren werden. Erfahrung ist darum die geschichtlichen und personalen Wirklichkeiten angemessene Form der Erkenntnis. Hier tritt ein erkennendes Subjekt mit einem Objekt in Kontakt und ringt mit diesem Objekt, das immer größer und reicher ist als alles, was darüber bisher erkannt worden ist. Erfahrung ist nicht einheitlich, sondern vielfältig und *reich*; sie ist nicht allgemeingültig, gesetzmäßig und damit leicht übertragbar und aussagbar, sondern *konkret* und individuell betreffend; sie ist nicht in sich klar, sondern *dunkel*. Eine reiche, vielfältige, personale Wirklichkeit kann nicht klar begriffen, wohl aber unbegrenzt und immer neu erfahren werden. Über die Möglichkeit der Erkenntnis von Personen schrieb von Hügel: »Wir müssen uns daran erinnern, daß alle unsere Vorstellungen nur dadurch volle Klarheit erlangen können, daß wir Bilder verwenden, die aus räumlichen Vorstellungen stammen oder in solche hineinprojiziert werden; und alle diese Bilder sind statisch und quantitativ. Wenn wir dagegen zu Naturen von richtiggehend geistigem und moralischem Sein und Leben kommen, sind wir mitten im *Dynamischen* und *Qualitativen*, damit von Dingen, die wir nur entweder wahr, und dann mit bewußter Unschärfe, oder klar, und dann mit unbewußter Zerstörung und Verfälschung aller ihrer wahren Charakteristika betrachten können.« Abschließend fügt er hinzu: »Es ist weitaus besser, die erste dieser Alternativen zu wählen« (SL S. 90).

Eine Erkenntnis, die abgeschlossen, klar, deutlich und allgemeinverbindlich ist, kann nur in Aussagen möglich sein, die allein unsere *Denkkategorien* umfassen; denn allein diese hat der Mensch voll und ganz zur Verfügung. Begegnet das Erkennen dagegen Realitäten, vor allem im Bereich des Personalen, können diese nicht klar und deutlich erfaßt werden; denn sie sind reicher als jedes einheitliche, klare Begreifen. Eine »*idea clara et distincta*«, die nach Descartes das Wahrheitskriterium darstellt, würde für Friedrich von Hügel lediglich beweisen, daß die Ideen noch nicht mit einer immer reicheren und umfassenderen Wirklichkeit in Kontakt gekommen sind und mit ihr ringen. Klarheit und Deutlichkeit, übersichtlich und eindeutig geordnete Vorstellungen sind in diesem Sinne immer »ein Hinweis darauf, daß wir uns allein mit diesen Denkschemata und mit den Instrumenten selbst beschäftigen. Wir haben nicht den Fisch gefangen, sondern unser eigenes leeres Netz« (ET I S. 26).

Mit der Betonung der Erfahrung kritisierte von Hügel eine Erkenntnislehre, die vermeint, die Wirklichkeit als ganze durch die Spekulation erkennen zu können, und die nicht spürt, daß sie mit der Realität noch nicht in Berührung gekommen ist. Klarheit und Allgemeingültigkeit werden um den Preis fehlenden Realitätsbezuges erkauft. Die scheinbare Objektivität dieses Erkennens ist tatsächlich allein ein Kreisen in den eigenen *Projektionen*. Jedes Denken bedarf eines Feldes und Umkreises dunkler Erahnung und Erfahrung, die nicht restlos begrifflich einholbar sein können. Ein ausschließlich quantitatives, einheitliches Erkennen ohne ein Gespür für das Mehr-Als, die Tiefe und den Reichtum aller Realität kann nach von Hügels Überzeugung der Wirklichkeit des Menschen nicht gerecht werden; er lehnt es als *Rationalismus* ab.

Von dieser Form des Rationalismus ist nach von Hügels Überzeugung nicht nur eine sich selbst für allein zuverlässig haltende naturwissenschaftliche Denkweise geprägt. Vielmehr hat diese Erkenntnishaltung auf Philosophie und Theologie zurückgewirkt: gerade die *Neuscholastik* erschien ihm durch einen Rationalismus bestimmt, der um der Klarheit,

Allgemeingültigkeit und Einheitlichkeit willen den Kontakt mit dem Menschen als Glaubenssubjekt preisgibt.

Besondere Bedeutung erlangte für von Hügel in diesem Zusammenhang die Kontroverse um den Anthropologen *George Mivart*. Dieser war als entschiedener Katholik aufgetreten, distanzierte sich aber plötzlich von der Kirche und erging sich in heftigen Angriffen gegen sie, was wiederum Anlaß zu ebenso scharfen Gegenattacken seitens der offiziellen kirchlichen Stellen bot. Von Hügel mußte erkennen, daß beide Seiten letztlich in gleicher Weise argumentierten: Überall berief man sich auf Allgemeingültigkeit, Klarheit, Universalität und Einheitlichkeit. Die menschlichen Sehnsüchte, Bestrebungen und Erfahrungen blieben bei beiden unberücksichtigt. Von Hügel schrieb darüber an seinen Freund George Tyrrell, der Mivart über diese Kontrovershaltung hatte hinwegführen wollen: »Was mich an der ganzen Sache als so deutlich erkennbar beeindruckt, ist die Tatsache, wie nah er (Mivart) und seine neuscholastischen Gegner einander stehen, nicht in ihren Schlußfolgerungen, aber in ihrer Grundeinstellung und Geisteshaltung: denn alle beide, er und sie, sind eigenartig respektlos, ohne Geschichte und Entwicklung, ohne Verstehen, Intuition, Vertrauen, ohne die Spur einer Atmosphäre – Mondlandschaften alle beide. Ich sehe wirklich nicht, wie um alles in der Welt der eine den anderen heilen sollte, oder vielmehr sehe ich deutlich, daß er es nicht tun wird und nicht tun kann« (HT S. 127). Für den ausschließlich naturwissenschaftlich argumentierenden Mivart galt ebenso wie für die neuscholastische Theologie: »Ohne ein aktives, sorgfältig gepflegtes, geistliches, mystisches Leben und Gestimmtsein des Geistes, ohne ein Hungern und Dürsten nach dem, was über und jenseits der Möglichkeiten liegt, daß es Naturwissenschaften erwecken oder erfüllen könnten, bleibt oder wird man nur halber Mensch, uninteressant und gewöhnlich (auch rein intellektuell)« (HT S. 126).

Was also die Theologie braucht, ist die Wiederentdeckung des Bereiches einer Tiefendimension der Wirklichkeit und damit einer rational nie restlos aufholbaren Erfahrung, die in ihrer Unklarheit, ihrem persönlichen Betroffenmachen und in ihrem Reichtum jeder klaren Erkenntnis vorauszugehen hat.

Klares und abschließendes Begreifen ist nach der Überzeugung von Hügels lediglich auf der Ebene der Phänomene möglich. Hier allein ist Erkenntnis allgemeingültig und damit auch problemlos von Erkennendem zu Erkennendem übertragbar. Erfahrungen dagegen sind *personal*, auf das Subjekt bezogen und damit individuell begrenzt. Glaubensaussagen sind allgemeingültig und übertragbar, sie betreffen jedoch den Menschen nicht in seiner konkreten Situation und vermögen ihn darum auch nicht zu bewegen. Glaubenserfahrungen dagegen sind bewegend und bereichernd, aber individuell, nicht universal und nicht ohne weiteres übertragbar. Glaubens*aussagen* können gelernt, Glaubens*erfahrungen* immer nur an Personen gemacht und durch sie vermittelt werden.

Erfahrung ist grundsätzlich offen und für neue Elemente und Bereiche der Wirklichkeit zugänglich. Während Begreifen einen Gegenstand abschließt und ihn umfassend erkennen will, ist Erfahrung immer weiter bereicherbar, weil sich Erfahrungen nicht räumlich gegenseitig ausschließen und begrenzen, sondern sich durchdringen und zu einem neuen und umfassenderen Ganzen aufbauen und ausgestalten. Während die Grenze das Grundcharakteristikum klaren Begreifens ist, wird die Erfahrung durch die gegenseitige *Durchdringung* grundlegend geprägt. Wer erfahren ist, schließt sich nicht ab, sondern öffnet sich immer neu für die Wirklichkeit, er lebt in Erwartung neuer und bisher ungeahnter Dimensionen der ihm begegnenden Realität. Zur Erfahrung gehört es, daß der Mensch selbst durch sie betroffen und damit neu gestaltet wird, sie hat Konsequenzen für den Erfahrenden, der durch sie geprägt wird.

ERFAHRUNG UND PERSON

Durch Erfahrung wird nach der Auffassung von Hügels *Person*. Erlebnisse lassen Erinnerungen zurück – Erfahrungen dagegen prägen und gestalten den Erfahrenden zur Person. Person und – so darf im Hügelschen Denken hinzugefügt werden – Persönlichkeit ist, wer Erfahrungen gemacht hat. An dieser Stelle übernahm von Hügel die Ansätze des philosophischen Personalismus, wie er ihm bei *Rudolf Eucken*, dem Philosophen in Jena, begegnet war. Eucken und von Hügel standen zwischen 1896 und 1914 in regem geistigem Austausch. Eucken war um die Jahrhundertwende vielleicht der engste Freund des Barons. In dem umfangreichen Briefwechsel, der zu einem großen Teil noch erhalten ist, gingen beide sehr ausführlich auf ihre Veröffentlichungen ein und würdigten gegenseitig ihre Publikationen. Allerdings fällt in dem Briefwechsel verschiedentlich auf, daß sich Eucken auf fremde Vorstellungen offensichtlich nicht einlassen wollte. Er griff die oft ins einzelne gehenden Anfragen von Hügels kaum auf und sprach immer nur von sich und seinen eigenen Problemen. Mehrmals kam Eucken, dem 1908 der Nobelpreis für Literatur verliehen worden ist, in seinen Briefen auf die Schwerfälligkeit seines Ausdrucks zu sprechen: er klagte darüber, »(daß ich) in der Darstellung oft weit hinter dem zurückbliebe, was ich sagen möchte und wozu es mich von innen her drängt«.

Von Hügel übernahm den Personalismus aus Euckens Werk »Der Kampf um einen geistigen Lebensinhalt«. Der zentrale Gedanke in diesem Buch, der ihn besonders fesselte, war das Konzept der »Wesensbildung«. Gerade an diesem Begriff aber entzündeten sich bald Verstehensprobleme. Von Hügel machte das Buch, wie es seiner Gewohnheit entsprach, unter seinen Bekannten und Freunden publik. Besonderen Anklang fand das Werk bei *Maude Petre*, für die es ein »Meilenstein auf dem Weg der Befreiung«[4] von einem eng neuscholastischen Denken werden sollte. Diese Lektüre war mit ein Anlaß dafür, daß Maude Petre seit dem Höhepunkt der Modernismuskontroverse im Kreis der »Modernisten« eine zentrale und die verschiedenen Strömungen miteinander verbindende Rolle spielen konnte. Als Gönnerin Tyrrells wurde sie nach dessen Suspendierung selbst kirchenrechtlich belangt, ihre Tyrrell-Biographie wurde indiziert.

Im Zusammenhang mit der Lektüre von Euckens »Der Kampf um einen geistigen Lebensinhalt« schrieb Maude Petre an von Hügel, daß sie trotz der Sprachschwierigkeiten mit dem deutschen Werk »für alle Mühe, die sie hatte, mehr als entschädigt worden sei«. Mit dem Zentralbegriff aber hatte sie Schwierigkeiten, wie sie von Hügel in einem Brief mitteilte: »Wie sollen wir im Englischen ›Wesensbildung‹ übersetzen?«. In einem langen und ins einzelne gehenden Brief versuchte von Hügel, die Schwierigkeiten Maude Petres zu klären und die Konzeption Euckens, mit der er sich voll identifizierte, verständlich zu machen. Hier heißt es: »Sie werden sicher immer bemerkt haben, wie sehr er (Eucken) besorgt ist, das sehr verbreitete und äußerst hartnäckige Vorurteil abzubauen, daß wir mit ›Charakter‹ und ›Personalität‹ geboren werden, und wie sehr er sich müht, die gegenteilige Vorstellung erspürbar und faßbar zu machen, nämlich daß der Mensch mit gewissen inneren Begabungen geboren wird

[4] *M. D. Petre*, My Way of Faith, London 1937, S. 225.

und durch geheimnisvolle Hilfe von innen und oben, für sich selbst langsam, mühevoll, schmerzvoll und geheimnisvoll Charakter und Personalität zu bilden beginnt.« Der Mensch fängt an als Individuum, das sich selbst zur *Person* ausgestalten muß. »›Wesensbildung‹ würde ich beschreiben als die Bildung eines Charakters, die verstanden wird als der Prozeß, durch den unsere geistige Substanz aus der moralischen Potentialität in die Wirklichkeit übergeführt wird; eine Folge von Akten, durch die wir Schritt für Schritt (aber immer nur durch jeweils neue Akte) unsere Möglichkeiten in Wirklichkeiten umwandeln und diese Wirklichkeiten als neue Möglichkeiten für wiederum neue Akte und Erfüllungen ansehen.« Wesensbildung ist der Weg, auf dem »ein bloßes Individuum zur Person, eine bloße Einsheit zu einer moralischen Mitte und Kraft, ein Tier zu einem Charakter wird« (SL S. 89f). Den Begriff »Wesensbildung« übersetzte er mit »production of personality«.

Worin liegt in dieser Konzeption der Unterschied zwischen Individuum und Person, wie wird das Individuum zur Person? Von Hügel stellt dieses Verhältnis gleichsam in einem Schaubild dar, das er in verschiedenen Abwandlungen immer wieder verwendet. Die Wirklichkeit zeigt sich in *drei Ebenen:* »Im Vordergrund stehen wir als selbstsüchtige, sinnliche, kindische Individuen, reine Einsheiten, aber ausgestattet mit der geheimnisvollen Fähigkeit (nicht mehr als das!), aus uns selbst selbstlose, geistige, männliche Persönlichkeiten, echte Einheiten und Organismen zu gestalten; im Mittelgrund ist der Vorhang der Phänomene, sozusagen der Prellbock, das Widerstand leistende, aber geistig nicht undurchdringliche Medium der Welt der physischen, mechanischen, determinierten Faktizität, Gesetzmäßigkeit und Wissenschaftlichkeit; im Hintergrund (der in Wirklichkeit die Grundlage von allem anderen ist) findet sich die noumenale Wirklichkeit, die Welt des Geistes und des absoluten Geistes, der Person und der absoluten Person, die Welt der Freiheit, Sittlichkeit, Ewigkeit und Liebe« (SL S. 94).

Hier wird unterschieden zwischen der Ebene der *Phänomene* und dem Bereich des *Noumenon*. Phänomene umfassen dabei die Welt in ihren Erscheinungen, wie sie der *wissenschaftlichen Beobachtung* und der *historischen Erkenntnis* zugänglich sind. Sie sind die vielfältigen äußeren Ereignisse in ihrer Vereinzelung, aber auch die Gesetze, die diese Abläufe regieren. Die Ebene der Phänomene ist für die unmittelbare Beobachtung und für die wissenschaftliche Gesetzesbildung offen. Hinter dieser Ebene der Phänomene erkennt von Hügel den Bereich des Noumenon, der das Wesen einer Sache oder eines Ereignisses, dessen Sinn und Bedeutung darstellt. Das *Noumenon* ist die *Tiefendimension* der Wirklichkeit, die die Phänomene trägt, sich in ihnen ausdrückt, aber nie in ihnen – weder in einzelnen Phänomenen noch in ihrer Gesamtheit – aufgeht. Mit der Betonung einer noumenalen Wirklichkeit bringt von Hügel seine Vorstellung zum Ausdruck, daß sich hinter den verschiedenen Ereignissen und den sie steuernden Gesetzen eine Tiefe, eine Bedeutung und ein Sinn verbergen, die auf der Ebene der phänomenalen, wissenschaftlichen Betrachtung und direkten Beobachtung nicht erhoben werden können. Diese Tiefe der Wirklichkeit, die es nicht unabhängig von der Realität, sondern in ihr als den sie tragenden Grund zu erkennen gilt, ist das Ziel aller Bemühungen um Sinn und Bedeutung.

Person ist die Wirklichkeit, die es in, mit und unter dem Individuum zu entwickeln gilt. Sie wird dadurch, daß das Individuum sich auf die mittlere Ebene einläßt, hier seine Erfahrungen macht und den Phänomenen in ihrer Vereinzelung und in den gesetzmäßigen Abläufen begegnet. Von Hügel stellte diesen Weg in einem Brief an Tyrrell dar: »Um ganz normal zu sein und unter normalen Umständen kann die Seele allein durch einen zweifachen Prozeß leben: Beschäftigung mit dem Konkreten und dann Rückzug von ihm, und dies abwechselnd fort und fort ... Die Menschheit als ganze steht unter der strengen Verpflichtung (dies nicht nur wegen der Notwendigkeit des Lebens, sondern um ihrer geistigen Vervollkommnung willen), diese beiden Aktivitäten zu üben ... Die schwierigste, aber doch die vollkommenste und fruchtbarste und deshalb ideale Haltung wäre es, in das Konkrete einzutauchen, sich dann bereichert zum Abstrakten zurückzuziehen und dann gereinigt und vereinheitlicht vom Abstrakten zurückzukehren, um das Konkrete umzugestalten und zu erheben« (SL S. 72f). Person wird dadurch, daß sich das Individuum auf die Ebene der Phänomene einläßt.

Dieser Weg vom Individuum zur Person geschieht in mehreren Schritten. Zuerst steht das Individuum in sich und für sich, es ist ganz auf sich selbst orientiert. Wenn es mit der Umwelt in Kontakt tritt, dann allein mit dem Ziel, hier etwas für sich zu erhalten, sich selbst zu bereichern. Wer der Welt in ihren Phänomenen begegnet, dem werden sich auch ihre *Gesetzmäßigkeiten* zeigen, in denen nur das Allgemeine, Universale, Überindividuelle gilt und erkennbar ist. Vom Besonderen und Individuellen, von aller Konkretheit wird in der wissenschaftlichen Gesetzesbildung abstrahiert. Wer sich ganz diesem Gesetz und seiner Allgemeinverbindlichkeit verschreibt, ist gezwungen, von sich selbst und seinem Eigennutz abzusehen, sich als einen Fall des Allgemeinen zu verstehen, der in der Vereinzelung nicht erkennbar wäre und ganz auf das Universale hingeordnet ist. Wissenschaft in diesem Sinne erkennt nicht das Besondere, sondern allein das Allgemeine. Der wissenschaftlich-klar denkende Mensch wird durch seine Wissenschaft von seiner primären Ich-Bezogenheit befreit und geläutert.

Das Einlassen auf diese Ebene des Gesetzes bereitet für das Individuum Schmerzen und Gefahren: der Mensch muß sich entgegen seiner früheren Ausrichtung loslassen, muß sich auf das Allgemeine konzentrieren und damit bereit sein, seinen Selbst-Anspruch aufzugeben. »Soweit ein Mensch unserer Zeit und unseren westlichen Rassen angehört, und soweit er gewillt ist, unsere besonderen Umstände, Einsichten und Prüfungen als Mittel zu seiner Vergeistigung anzuwenden, wird er in lebendiger Berührung mit diesen auf der zweiten Ebene liegenden und vorläufigen Wirklichkeiten, der Ding-Welt, dem unpersönlichen Element, der physikalischen Wissenschaft und dem deterministischen Gesetz bleiben müssen. Er wird wieder und wieder unter diesem kaudinischen Joch hindurchschreiten, sich wieder und wieder in diesen tobenden Strom hineinstürzen und ihn durchschreiten müssen ... Er wird aus diesem Strom jedesmal etwas reiner und etwas mehr zur geistlichen Person entwickelt hervorgehen, als er es vor dieser Beengung und Reinigung gewesen ist« (ME II S. 378f).

Auf dem Weg zur Person kommt es nun darauf an, daß dieses vereinheitlichte und universalisierte, selbstvergessene Individuum inhaltlich gefüllt wird, indem es sich nicht mehr allein auf die Allgemeingültigkeit, sondern auf die *konkrete*, individuelle und singuläre Wirklichkeit einläßt, die der naturwissenschaftlichen Erkenntnis versperrt ist: indem es also *Erfahrungen* macht. In der Erfahrung begegnet der Mensch immer einer individuell-konkreten Wirklichkeit, begegnet er Personen, die sich nicht in dem Bereich voll darstellen, der dem klaren Begreifen zugänglich sein kann. Durch Erfahrung wird das Individuum bereichert: sie vermittelt eine Wirklichkeit, die es umfassend, vielgestaltig und reich macht. Das Individuum, das als ungeschiedene, numerische Einsheit geboren wird, nimmt Kontakt mit der vielfältigen Welt auf, es wird durch ein Eintauchen in diese Konkretheit bereichert. Was sich ursprünglich als ungeschiedene Einheitlichkeit im Fehlen einer Differenziertheit darstellte, wird auf diesem Wege immer mehr durch Vielfalt und Reichtum abgelöst. Individuum wird Person, indem es durch die Erfahrung bereichert wird.

Hierbei ist festzuhalten, daß nach von Hügels Überzeugung nicht allein die Abstraktion des Gesetzes, sondern auch die Bereicherung durch die Wirklichkeit in der Erfahrung immer ein schmerzvoller Vorgang ist: die verschiedenen, vielfältigen Konkretheiten stoßen sich mit dem Individuum, begrenzen es, stellen Ansprüche und reiben sich an ihm. Jede Berührung mit der Wirklichkeit verursacht somit *Leid* und Schmerzen. Ebenso wie das Einlassen auf die Welt der Allgemeingültigkeit bedeutet auch die Begegnung mit der konkreten, erfahrbaren Realität eine leidvolle Erfahrung. Das Individuum, die verschiedenen konkreten Wirklichkeiten und der Bereich der Universalität und Gesetzmäßigkeit stehen untereinander im Verhältnis von Reibung und Spannung.

Der Weg vom Individuum zur Person stellt sich somit in drei Stufen dar: »Es gibt Seelen, die sogar bis zum Ende ihres irdischen Lebens von dem mehr oder weniger vollständigen, naturalistischen Individualismus bestimmt werden, mit dem wir alle in verschiedenem Grade beginnen.« Der Mensch ist auf dieser Stufe dadurch gekennzeichnet, daß er auf sich selbst bezogen ist und sein eigenes Ich in Konkurrenz zu anderen Individuen durchsetzen will. Hier wird nur *Oberfläche* erkannt; die Frage nach einer Tiefe, einem Sinn und nach dem Ganzen taucht dabei nicht auf. Menschen auf dieser Ebene erscheinen »als wesentlich kindisch und als findige Tiere eher denn als geistige Menschen« (ME I S. 242).

Auf einer zweiten Stufe findet man die vom *Gesetz* und vom *Allgemeinen*, von der Pflicht und der Verpflichtung geprägten Menschen. Sie haben ihr Eigenes zurückgestellt zugunsten des anderen, den Eigennutz dem Allgemeinwohl unterworfen. Sie neigen nun aber dazu, »alles, was ihnen eigen zu sein scheint, zu verdächtigen oder sogar zu unterdrücken und zum Opfer zu bringen, weil sie es für individualistische Subjektivität und für einen heimtückischen Hochverrat am objektiven Gesetz« halten. Der einzelne sieht sein Verhältnis zum Allgemeinen und zum Gesetz allein durch den Gehorsam geprägt.

Bis zu diesem Punkt vermochte eine durch Klarheit, Allgemeingültigkeit und Gesetzmäßigkeit bestimmte Neuscholastik den Menschen zu führen. Hier zeigte sich aber die Grenze dieses Denkens: das Subjekt, die Person wurde nicht entdeckt, Bemühungen um deren Wirklichkeit wurden vielmehr des Individualismus und Subjektivismus verdächtigt und als glaubensgefährdend verworfen.

Der offensichtliche Gegensatz, der die beiden ersten Stufen der Entwicklung beherrscht, wird auf einer dritten Stufe überwunden: »Endlich gibt es eine immer verhältnismäßig kleine Zahl von Seelen, die zu einem Zustand berufen sind – und eine noch kleinere Zahl erreicht ihn tatsächlich –, in dem die Universalität, Verpflichtung, Uniformität und Objektivität der zweiten Stufe und Klasse die Form einer spirituellen Individualität, Freiheit, Mannigfaltigkeit und Subjektivität annehmen. Personalität im vollsten Sinne des Wortes tritt nun zutage« (ME I S. 242). Auf dieser Stufe werden *Freiheit* und *Subjektivität*, die auf der Stufe des Individuums direkt angestrebt und darum verfehlt wurden, tatsächlich erreicht.

Der Weg vom Individuum zur Person ist somit gekennzeichnet durch das Gesetz und die Allgemeingültigkeit, die Einheit verleihen, und das Konkrete und Individuelle, die inhaltlichen Reichtum und Fülle gewähren. Das Individuum muß sich selbst loslassen, muß sich entäußern in das Allgemeingültige und in die fremde Konkretheit, um sich auf der Ebene der Personalität wiederzufinden. Person verwirklicht sich als zu *Einheit* organisierter *Reichtum*. »Jetzt werden und erscheinen Universalität, die Verpflichtung und die Objektivität des Gesetzes als größer, nicht als geringer, denn sie sind nun in einer im hervorragenden Sinne einzigartigen und unersetzlichen, in einer durch und durch personalen Form verleiblicht« (ME I S. 243). In der Person sind die berechtigten Ansprüche des Individuums und des Gesetzes, aber auch ihre Einseitigkeiten »aufgehoben«, also gleichzeitig überwunden und bewahrt.

Person ist für von Hügel – dies wird hier deutlich – keine von vornherein gegebene und bestehende Substanz, sie *ist* nicht, sie *wird*, indem sie sich *verwirklicht*. Person ist nach dieser Auffassung, und darin schließt sich von Hügel Rudolf Eucken an und nimmt gleichzeitig die Vorstellungen von dessen Schüler Max Scheler vorweg, eine dynamische Wirklichkeit, deren Wesen in der Selbstverwirklichung besteht. Von Hügel stellte seine Lehre von der Person in dem genannten Brief an Maude Petre im Kontrast zur griechischen Konzeption vor: in der klassischen Vorstellung geht »die Person der Tat voraus und ist von ihr unabhängig«; nach seiner Auffassung »folgt Person der Tat und ist ihr Ergebnis. Die erstere ist stabil und unbeweglich, die letztere immer wachsend oder sich verengend« (SL S. 92). Person im Hügelschen Sinne wird, indem sie mit der ihr entgegenstehenden Welt in Kontakt tritt und an ihr ihre Erfahrungen macht.

Person ist kein feststehendes Sein, sondern ein *Organisationszentrum*, gleichsam ein Brennpunkt, von dem aus und auf den hin eine Wirklichkeit verschiedener, miteinander konkurrierender und einander bekämpfender Realitäten zu einer Einheit zusammengefaßt wird. Sie umfaßt Einheit und Reichtum, Allgemeingültigkeit und Fülle. Person ist Einheitszentrum, in dem und durch das die verschiedenen Einzelelemente zu einem Ganzen verbunden werden. »Personalität ist eine Kategorie, die wesentlich gerade in der geheimnisvollen Einheit von Gegensätzen besteht« (EL S. 298). Zur Konstitution dieser Personalität müssen stets neue, fremde, widerstrebende und sich sperrende Elemente assimiliert werden. Je größer die Verschiedenheit innerhalb der sich gestaltenden Person ist, um so tiefer wird die Einheit sein, die hier gebildet wird. »Person ist immer ein Eins in einem Vielen, und um so tieferes Eins und um so reicheres Vieles, je größer die geistige Wirklichkeit ist.« (EL S. 298). Person wird hier als Einheit in Vielfalt charakterisiert. Sie ist »einheitlich in dem Sinne, in dem weißes Licht, das aus allen Farben des Prismas zusammengesetzt ist«, als Einheit bezeichnet werden kann (ME I S. 190). Wenn ein Bestandteil ausfällt, dient dies nicht der Vereinheitlichung, sondern der Vereinseitigung. Einheit wird nur durch den Kampf aller Elemente, die die Person konstituieren.

Person wird durch Erfahrungen, die sich gegenseitig in Balance halten und damit zur *Harmonie* ausgestalten. Erfahrungen sind damit immer ein für den Betreffenden risikoreiches Unternehmen: in ihnen wird nicht nur eine fremde Wirklichkeit distanziert erkannt, wie es dem Ideal des naturwissenschaftlichen Begreifens entspricht, hier steht vielmehr das erkennende Subjekt selbst mit auf dem Spiel; es geht in die Erfahrung mit ein, wird durch sie bereichert, umgestaltet und neu. Nur wer bereit ist, nicht der zu bleiben, der er ist, nur wer sich nicht allein auf Gesetz und Verpflichtung beruft, sondern sich selbst einsetzt, kann Erfahrungen machen, durch sie vielseitig und reich werden und sich der umfassenden personalen Verwirklichung weiter annähern. Nur was sich sperrt und quer legt, was Schwierigkeiten bereitet, kann nach diesem Verständnis Erfahrung im umfassenden Sinne vermitteln und dadurch zur Personwerdung beitragen.

Sein Verständnis vom Werden der Person hat von Hügel in einem Vergleich dargelegt, der zwar zu Beginn eines Vortrags die Stimmung in einem großen Auditorium auflockern sollte, in Wirklichkeit aber jene Vorstellung plastisch auszudrücken vermochte: »Haben Sie schon einmal Frösche gehalten? Wenn nicht, tun Sie es doch!... Füttern Sie sie mit Heimchen und geben Sie acht, was sie tun. Der Frosch packt ein hartes, langes, dünnes Heimchen und zwingt es kämpfend seinen Schlund hinunter. Das Heimchen besteht darauf, im Inneren des Frosches in Querlage zu sterben. Der Frosch klopft seinen weißen Bauch von allen Seiten, bis er das Heimchen, das endlich durch die Verdauungssäfte getötet wurde, in rechte Übereinstimmung mit seinem Inneren gebracht hat. Ich bitte Sie nun, sich aufzumachen, und, so gut Sie können, eine Menge von geistlicher Nahrung, die zuerst unbequem quer zu Ihrem Geist liegen wird, zu ergreifen und zu verdauen. Haben Sie Geduld. Bevor wir zum Ende kommen, hoffe ich, die Lage erheblich zu erleichtern. Wir werden unseren Verstand klopfen, und die Nahrung, die am Anfang so sperrig war, wird, wie ich glaube, ihren rechten Ort finden und uns wirklich nähren. Keine Nahrung kann uns richtig nähren, ohne daß beträchtliche Reibung und Spannung erzeugt und überwunden werden.« (EA I S. 278).

DIE WAHRHEIT DER ERFAHRUNG

In der Kraft zur Entfaltung der Person erblickt von Hügel das Wahrheitskriterium für Erfahrungen. Erfahrung hat eine praktische Zuspitzung und Zielrichtung, sie erweist sich als wahr durch ihre *Fruchtbarkeit* zur Personwerdung. Während im Bereich der Naturwissenschaften die Gesetzmäßigkeit mit ihrer Klarheit, Allgemeingültigkeit und Einheitlichkeit als Beweis für Wahrheit angesehen werden kann, dürfen Aussagen, die sich auf menschliche, geschichtliche, personale Wirklichkeiten beziehen, nicht an diesen Kriterien gemessen werden – auf diesem Wege würde man diese Wirklichkeiten nicht erkennen, sondern unbewußt zerstören. Klarheit und Gesetzmäßigkeit sind hier nicht erstrebenswert, sie sind vielmehr die stete Gefahr für die Erfahrung.

Besonders eindrucksvoll hat von Hügel die Wahrheit der Erfahrung in dem einzigen geistlich-spirituellen Brief ausgedrückt, den er zu seinen Lebzeiten veröffentlichen ließ. Eine Dame, deren kleine Tochter verstorben war, hatte ihn um Rat und Hilfe gebeten angesichts der Frage, »wie ein all-gütiger und all-mächtiger Gott solches Leiden zulassen könne« (EA I S. 98). Von Hügel rückte zuerst die Fragestellung zurecht: wo es um menschliche, personale Wirklichkeiten gehe, würde man sich den Zugang zu jedem Verstehen von vornherein verbauen, wollte man nach klaren, allgemeingültigen und lernbaren Antworten suchen. In diesem Bereich gibt es keine besitzbare Auskunft, durch die man die Probleme lösen könnte, die Antwort kann nur in der Erfahrung selbst gesucht werden: dadurch, daß solches Leiden den Menschen läutern, reinigen und bereichern kann, daß es geeignet ist, an seiner Personwerdung mitzuwirken und ihn seiner Erfüllung näher zu bringen, werden diese Erfahrungen bewahrheitet. »Der richtige und entsprechende Beweis für die Adäquatheit von Abstraktionen und von räumlichen, numerischen und mechanischen Bezügen ist tatsächlich die Klarheit und die leichte Übertragbarkeit. Aber die angemessene Überprüfung für Wahrheit, die sich auf Existenzen und Wirklichkeiten bezieht, ist Lebendigkeit (Reichtum) und Fruchtbarkeit. Behauptungen, die sich auf Abstraktionen und Relationen beziehen, mögen so leer und allein konditional sein, wie auch immer; wenn sie klar und leicht übertragbar sind, dann sind sie angemessen und richtig. Behauptungen, die sich auf Existenzen und Wirklichkeiten beziehen, mögen so dunkel und so schwer zu vermitteln sein wie immer; wenn sie reich und fruchtbar sind, dann sind sie angemessen und wahr. In keinem Bereich von Behauptungen stimmen wir ohne Einsicht und ohne Beweis zu; aber in jedem Bereich brauchen wir *die Art* von Einsicht und Beweis, die diesem bestimmten Bereich natürlich ist. Wir können und sollten sogar höhere Anforderungen stellen, wenn die Bedeutung einer Behauptung in einem dieser Bereiche zunimmt. In dem mathematisch abstrakten Bereich brauche ich mehr und mehr Klarheit und leichte Vermittelbarkeit, je weiter und universaler der Anspruch einer bestimmten Vorstellung ist. Im existenziellen konkreten Bereich brauche ich im Maße der Bedeutung der angesprochenen Wirklichkeit mehr und mehr Reichtum und Fruchtbarkeit« (EA I S. 105). Eine Aussage über menschliche, personale, individuelle Wirklichkeiten erweist sich dadurch als wahr, daß sie sich sperrt, daß sie Schwierigkeiten zu ihrer Assimilierung bereitet, daß sie aber geeignet ist, das Individuum, das diese immer risikoreiche Erfahrung macht, weiterhin zur Person auszugestalten und zu bereichern.

MYSTIK ALS RELIGIÖSE ERFAHRUNG

Die Erfahrung spielt in der Hügelschen Erkenntnislehre eine grundlegende Rolle. Damit stellt sich die Frage, wie in diesem Konzept die speziell religiöse Erfahrung charakterisiert ist, die von Hügel in Anlehnung an die geistige Auseinandersetzung seiner Zeit *Mystik* nannte und deren Erforschung das Hauptinteresse seiner theologischen Arbeit galt. Die umfangreiche historische und philosophische Bemühung um die Mystik scheint eine Interpretation des Hügelschen Denkens nahezulegen, nach der einer besonderen mystischen Erkenntnis, unabhängig von der Welt in einem eigenen, streng übernatürlichen, wunderbaren Raum, begleitet von außergewöhnlichen Ereignissen, das Wort geredet wird.

Nach von Hügels Überzeugung geschieht alle religiöse Erfahrung, alle Mystik allein in, mit und unter der Erfahrung der Welt. Er stellte selbst die Frage: »Gibt es so etwas wie eine spezifisch in sich stehende, sich selbst genügende, rein mystische Art der Erfassung der Wirklichkeit?« Er gab die Antwort mit aller Deutlichkeit: »Ich möchte sagen, daß es so etwas ganz bestimmt nicht gibt.« Im Gegensatz zu einer Mystik, die unter Absehung von der Welt oder in Weltverachtung einen besonderen mystischen Weg einschlagen will, die Gott unmittelbar und unabhängig von der Welt erkennen möchte, betonte von Hügel, daß »das Gespür für das Unendliche innerhalb und außerhalb des Endlichen anläßlich der Berührung mit dem Kontingenten in unserer Seele aufspringt« (ME II S. 283). Mystik charakterisierte von Hügel als die *Erfahrung des Unendlichen*. Wenn aber Erfahrung individuell, konkret, also wesentlich endlich ist, wie soll dann eine Erfahrung des Unendlichen geschehen, also eine spezifisch religiöse Erfahrung möglich sein?

Unendlichkeit kann in verschiedener Weise verstanden werden: als klare, räumliche, wissenschaftlich definierbare Unendlichkeit, die sich als räumliche Unbegrenztheit darstellt. Sie ist der Erfahrung unzugänglich, sie kann nur logisch-abstrakt konstruiert, nicht aber konkret erfahren werden. Daneben gibt es eine Vorstellung von Unendlichkeit, die nicht von räumlicher Erstreckung, sondern von inhaltlicher *Fülle* in gegenseitiger *Durchdringung* bestimmt ist. In jeder Erfahrung wird eine bestimmte Fülle, ein Reichtum an Einzelelementen, unmittelbar zugänglich. Dabei offenbart sich immer ein Dreifaches: die Erfahrung von Fülle und Reichtum, gleichzeitig aber auch die Erfahrung von Endlichkeit und Begrenztheit eines jeden Gegenstandes, ebenso des eigenen Ich als Person. In jeder Erfahrung wird nicht nur Endliches, sondern auch dessen Endlichkeit leidvoll erfahren. Der Mensch findet kein Objekt, das seinem Streben nach umfassender Fülle letztlich und endgültig gerecht werden könnte. Als ebenso endlich wie jedes Objekt erweist sich auch jedes erkennende Subjekt. »›Der Mensch weiß niemals, wie anthropomorph er ist‹, sagt Goethe. Richtig. Aber es war ein Mensch, Goethe, und im Grunde sind es alle Menschen, die in dem Maße, als sie volle und bewußte Menschen sind, irgendwie diese Wahrheit entdeckt haben; und die an ihren beständigen Bewahrheitungen ebenso leiden wie an Zahnschmerzen und an Schlaflosigkeit« (ME II S. 282). Die Erfahrung der Endlichkeit sowohl des eigenen Ich als auch eines jeden erkannten Objekts ist für den Menschen Quelle beständiger Unruhe, Unrast und Schmerzen. »Wir sind immerzu ebenso unfähig, vom Durst nach dem Absoluten freizukommen, wie ihn zu stillen« (ET I S. 15).

Damit stellt sich die Frage, wie im Menschen als zugegebenermaßen endlichem Wesen eine unstillbare und damit unendliche Sehnsucht nach Erfüllung entstehen kann. Wie kann der endliche Mensch an der Endlichkeit unendlich leiden? »Ich halte für die einzige ungezwungene Erklärung dieser universalen, völlig unausrottbaren und schrankenlos mächtigen Bewegung, die unser ganzes Leben durchzieht, daß wir dieses zähe, durchdringende und peinigende Gespür des Relativen und Endlichen, des Nichts-als-Menschlichen niemals hätten und niemals haben könnten, wenn wir nicht schon in einer gewissen Art und in gewissem Umfang nicht allein diese relativen Dinge, sondern auch das damit kontrastierende andere erfahren würden« (ET II S. 362). Das Leiden an der Endlichkeit ist nur dadurch zu erklären, daß im Gegensatz zu allem Endlichen in seiner Endlichkeit Unendliches mit-erfahren wird.

Das Leiden an der Endlichkeit, verbunden mit dem Bewußtsein, daß hier Un-Endliches, also unbegrenzte Fülle und Reichtum, mit-erfahren wird, bestimmt die Hügelsche Mystik. Religiöse Erfahrung ist darum kein Besonderes, Außergewöhnliches, Wunderbares, kein Geschehen, das sich in eigene, unabhängige, der übrigen Welt und dem prüfenden Verstand nicht zugängliche Regionen einschließen dürfte. Mystik bedeutet nicht Rückzug von der Welt und der Verantwortung für sie, vielmehr geschieht religiöse Erfahrung nur und ausschließlich in der *Erfahrung der Welt*. Sie geht nicht an der Welt und ihrer Erkenntnis vorbei, sondern immer durch sie hindurch und in sie hinein. Unendliches, Ewigkeit als die unbegrenzte Fülle in der Gleichzeitigkeit, Gott erscheinen nicht unabhängig von der Welt, sondern in ihr und nur in ihr.

Dabei ist diese mystische Erfahrung, wie von Hügel darstellt, nicht logisch-rational aus der Tatsache der Endlichkeit der Welt zu folgern. Gott kann vielmehr nur konkret-einmalig erfahren werden: »Allein im Zusammenprall von einfachhin endlich scheinendem Geist und einfachhin endlich scheinender Sache, wie von kaltem Stahl, der gegen kalten Feuerstein schlägt, entspringt für einen Augenblick das verborgene Feuer, die Hingeordnetheit alles wahren Lebens auf die Unendlichkeit« (ET II 377). Es ist darum nicht möglich, aus der Endlichkeit der Welt gleichsam als deren Vorbedingung eine Unendlichkeit herauszukristallisieren und auf dieser Basis weiterzuargumentieren, vielmehr entspringt die mystische Erfahrung nur immer wieder neu aus dem Leiden an der Endlichkeit. Sie ist nicht konservierbar, nicht einfachhin übertragbar, nicht als Gesetz festzuhalten, aber doch wirklich und wirkmächtig. Außer in dieser *Mit-Erfahrung* des Unendlichen gibt es für von Hügel keinen Weg zu Gott: weder eine in sich stehende mystische Erfahrung noch die Gottesbeweise bieten nach seiner Überzeugung einen erfolgreichen »Weg aus dem Skeptizismus« (EA I S. 40).

Alle Bestrebungen in Theologie und Frömmigkeit, die sich unter Umgehung der wissenschaftlichen Auseinandersetzung im Rückzug von der Welt und ihren Verpflichtungen direkt auf eine Gotteserfahrung oder ein Erlebnis berufen wollen, haben in der mystischen Theologie, jedenfalls in der Gestalt, wie Friedrich von Hügel sie vorlegt, keinen Anhalt. Gott wird nicht dort erfahren, wo die menschliche Erkenntnis versagt und wo ein *Lückenbüßer* für die Unerklärlichkeit gebraucht wird. Die wissenschaftliche Auseinandersetzung in allen ihren Formen, die Beschäftigung mit der Welt und der Einsatz für ihre Gestaltung sind vielmehr Rohmaterial und Ausgangspunkt der Hügelschen Mystik. Gott wird nur dort gefunden, wo der Mensch sich nicht von der Wissenschaft und den innerweltlichen Verpflichtungen zurückzieht, wo er sich vielmehr an seinen Grenzen reibt und versucht, seine Möglichkeiten voll auszuschöpfen und zu erweitern, wo er an seinen Grenzen, seiner Endlichkeit unendlich leidet, nicht wo er es sich in seiner Begrenztheit wohl sein läßt.

Voraussetzung dafür, daß Gott erfahren werden kann, ist die Tatsache, daß er in der Welt gegenwärtig ist. Von Hügels Theologie ist damit *inkarnatorisch* bestimmt. Jedoch wird hier Inkarnation in umfassenderer Weise verstanden als in der traditionellen Theologie. Sie ereignet sich nicht nur in der Menschwerdung Gottes in Jesus von Nazaret als dem Christus; Inkarnation ist vielmehr Strukturprinzip der Welt als ganzer. Die Wirklichkeit in allen Bereichen, Regionen und Schichten, besonders aber der Mensch, ist von der göttlichen Realität durchdrungen. Jesus ist die höchste und letztgültige Inkarnation Gottes in der Welt. Er kann aber nur darum als normierend verstanden werden, weil die Wirklichkeit insgesamt durch diese göttlich-menschliche Interaktion geprägt ist. Es gibt keinen Bereich der Welt, es gibt vor allem keinen Menschen, es gibt aber auch keine Religion, in denen nicht der inkarnierte Gott lebenskräftig bestimmend und damit auch erfahrbar wäre. Von Hügel berief sich in dieser Auffassung auf die großen Mystiker, vor allem auf Theresa von Avila und ihre Lehre, daß Gott selbst im Menschen gegenwärtig ist und daß er darum hier erkannt werden kann.

Gott und Welt stehen nicht, wie es einem klaren Denken entspräche, deutlich voneinander unterschieden und räumlich getrennt neben oder über- und untereinander, sie *durchdringen* sich vielmehr gegenseitig. Sie schließen sich nicht aus und verdrängen sich nicht, vielmehr sind beide ineinander zu sehen. »Der göttliche und der menschliche Geist, Gott und Kreatur, sind nicht zwei Körper, von denen der eine immer nur sein kann, wo der andere nicht ist; sondern im Gegenteil: der göttliche Geist wirkt immer in engster Durchdringung und Anregung unseres Geistes, ebenso wie wir umgekehrt nicht göttlichen Geist einfachhin getrennt von unserem Geist in uns auffinden können« (ME I S. 370). Ein Verständnis von

Gott und Welt, das Gott unabhängig und getrennt von der Welt finden möchte, ist damit ausgeschlossen. »Wie ein endlicher Geist einen anderen endlichen Geist voll und ganz durchdringen kann und dabei seinen eigenen Charakter beibehält und ihn tatsächlich noch vertieft – das Gesetz der Physik, daß kein Körper sein kann, wo bereits ein anderer Körper ist, findet hier keine Anwendung –, so ist die Auffassung, daß der unendliche Geist den menschlichen, begrenzten Geist verdrängt und ihn nicht durchdringt, anregt und umgestaltet, ganz ungeistig« (ME II S. 132). Von Hügel versucht mittels seiner Vorstellung von Erfahrung und gegenseitiger Durchdringung die Ansätze des *Pantheismus* aufzunehmen und sie mit einem *Theismus* zu verbinden, eine Problematik, die, wie zu zeigen sein wird, vor allem sein Verhältnis zu manchem seiner Freunde in Kontroversen um den Modernismus noch wesentlich prägen sollte.

PERSÖNLICHE FRÖMMIGKEIT UND KIRCHLICHE AUTORITÄT

Die Hügelsche Theologie wird grundlegend durch die Mystik bestimmt. Sowohl in der Erkenntnislehre wie auch in der Lehre von der Kirche ist der Mensch auf dem Weg vom Individuum zur Person jeweils der Mittelpunkt dieses Denkens. Der personbezogene Glaube, die individuelle Frömmigkeit, steht in Spannung zu einem von einer Autorität, einer Kirche als Gemeinschaft vorgelegten Form von Religion und Glaube. Persönliche, individuelle Frömmigkeit und offizielle, amtliche Lehre und Haltung sind nach von Hügels Überzeugung grundsätzlich *gegenläufig* konstruiert. Wer von der Person und ihrer Forderung allein ausgeht, wird nie zu einer Kirche in der Vollform kommen. Wer dagegen allein die verfaßte, gemeinschaftliche, autoritätsbezogene Seite des Glaubens sieht, wird dem gläubigen Subjekt nicht gerecht.

Diesen Gedanken der gegenläufigen Grundstruktur von persönlicher und amtlicher Frömmigkeit hat von Hügel in einem 1904 gehaltenen Vortrag dargelegt: »Official Authority and Living Religion«. Er wurde in den posthum veröffentlichten zweiten Band der Hügelschen Aufsatzsammlung »Essays and Addresses on the Philosophy of Religion« aufgenommen. Die Tatsache dieser Veröffentlichung wurde in der Folgezeit fast durchweg kritisiert: der Aufsatz wurde zwar als gelehrt, aber als schlechthin irrgläubig bezeichnet. Hier – so drückte man sich aus – sei eindeutig die Grenze dessen überschritten, was einem gläubigen Katholiken loyalerweise gestattet sei. Der Aufsatz sei der bedeutsamste modernistische

Sündenfall des Barons: besser hätte man ihn in der Versenkung belassen und andere, eindeutig rechtgläubige Texte an diese Stelle gesetzt. So wurde dieser Aufsatz zumeist mit einem gewissen Unbehagen und mit Verlegenheit umgangen, man wollte an diese »Jugendsünde« nicht unnötig rühren.

Andererseits scheint von Hügel selbst diesen Aufsatz wesentlich anders eingeschätzt zu haben. 1907, auf dem Höhepunkt der Modernismuskontroverse, von der im folgenden noch zu sprechen sein wird, in den Monaten zwischen der Veröffentlichung des Dokuments »Lamentabili« und der Modernismusenzyklika, bot von Hügel der damals bereits als modernistisch verurteilten italienischen Zeitschrift »Il Rinnovamento« seinen Aufsatz an. Allerdings kam der Plan nicht zur Ausführung. Denn über alle Autoren dieser Zeitschrift wurde die Strafe des Ausschlusses von den Sakramenten verhängt, und der Baron wollte nichts mehr im »Rinnovamento« veröffentlichen, vor allem keinen Aufsatz, der von den damals bestimmenden Kräften in den Kirchenleitungen, besonders in der römischen Kurie, zweifellos als *Provokation* empfunden worden wäre.

Von Hügel wollte hier aber keineswegs provozieren: es ging ihm darum darzulegen, daß Spannungen zwischen der individuellen, persönlichen Frömmigkeit und den amtlichen Erfordernissen in jedem sozialen Gebilde und also auch in der Kirche unvermeidlich sind. Wenn die kirchlichen Autoritäten in den Auseinandersetzungen um den als »Modernismus« verurteilten religiösen Neuaufbruch in oft überaus bedrükkender Weise reagierten und alle Ansätze einer persönlichen, von unten aufbrechenden Frömmigkeit als Revolution beargwöhnten, dann darf dies – nach von Hügel – den Verantwortlichen nicht zum Vorwurf gemacht werden: es gehöre vielmehr zu ihrem Amt und ihrer Aufgabe, eine Form des religiösen Lebens zu betonen, die anders strukturiert sei als die individuelle Frömmigkeit.

Dennoch – und dies ist das zweite, was von Hügel hier darstellen wollte – wäre es verhängnisvoll, wenn sich der persönliche Glaube, die Frömmigkeit, von dieser ständigen Belastung durch die Autorität befreien und versuchen wollte, sich von außen nicht beeinflussen zu lassen und sich rein und folgerichtig nur nach eigenen Bedürfnissen und Antrieben auszugestalten, wenn sie also zu einer reinen, exklusiven Mystik werden wollte.

In der Entgegensetzung von individueller Frömmigkeit und offizieller Kirchlichkeit wird deutlich, worum es von Hügel in seinem theologischen Ansatz ging. Insofern war dieser Aufsatz keine modernistische Jugendsünde. Die im Vordergrund stehende Spannung vermag sogar die Charakteristika einer von der Mystik geprägten Theologie und Frömmigkeit mit besonderer Deutlichkeit darzustellen. Im Hintergrund scheint hier der Aufsatz Ernst Troeltschs über »Religion und Kirche« [5] zu stehen. Die Unterscheidung zwischen persönlicher Religiosität und offizieller Kirchlichkeit, die dabei im Zentrum steht, dürfte für die gegenwärtigen theologischen Versuche, ein »Christentum außerhalb der Kirche« zu deuten, von noch nicht überholter Aktualität sein.

Bei der Vorbereitung für die geplante Veröffentlichung dieses Aufsatzes im Sommer 1907 hat Tyrrell den erwähnten Aufsatz sprachlich überarbeitet und von den gröbsten Germanismen befreit. Aber auch diese formal vereinfachte Form kann noch einen Eindruck von der *sprachlichen Schwierigkeit* des Hügelschen Werkes vermitteln. Sein Ausdruck ist völlig unenglisch mit endlosen Sätzen, die sich durch zahllose Unterbrechungen und Einschübe oft zu wahren Ungetümen auftürmen. Anläßlich der ersten Fassung des Aufsatzes schrieb George Tyrrell an seinen Freund: »Ihr Papier über

[5] *E. Troeltsch*, Religion und Kirche, in: Gesammelte Schriften Bd. 2, Tübingen ²1922, S. 146–182, bes. S. 148–150. Dieser Aufsatz wurde erstmals 1895 veröffentlicht.

›offizielle Autorität‹ verlangt eine schreckliche Konzentration der Aufmerksamkeit. Für Sie ist jedes Wort mit vollem Bewußtsein und mit Bedeutsamkeit ausgewählt. Aber welche Zuhörerschaft soll dies aufnehmen? Weder Cherubim noch Seraphim. Ich meine, sie sollten den normalen menschlichen Verstand etwas mehr berücksichtigen. Das gleiche war es mit Ihrem Synthetic-Aufsatz, den Sie vollstopften wie eine Hartwurst. Fest, flüssig und gasförmig, das sind die drei Formen, in denen man seine Gedanken vorstellen kann: das letzte eignet sich für einen Vortrag, das zweite für ein Buch, das erste für einen Erzengel in Exerzitien« (SL S. 13). Flüssig scheint nun der Aufsatz auch in der von Tyrrell überarbeiteten Form noch nicht zu sein. Dennoch – so will es scheinen – kann er in der im folgenden vorgelegten Übersetzung und durch Hinzufügen von Zwischenüberschriften das Hügelsche Denken an einem zentralen Punkt eindrucksvoll dokumentieren. Hier heißt es:

»Erkennt und entdeckt, fühlt, denkt, will und handelt, leidet, liebt, freut sich und wirkt der normal gebildete Mensch in dem Maße, in dem er wahrhaft und tief (wenn auch vielleicht nur teilweise verwirklicht und nur mit Unterbrechungen) das Leben des Geistes und des Verstandes lebt, in der gleichen Weise, in den gleichen Formen und Kategorien, wie es amtlicherseits zu geschehen scheint und auch ihm vorgeschrieben wird? Diese Frage beantwortet sich ganz von selbst: es gibt zwischen diesen beiden Arten der Wirksamkeit in keiner Hinsicht eine Ähnlichkeit. Soviele Analogien es auch zwischen dem Geist, dem Leben und der Handlungsweise einer Gemeinschaft oder einer fiktiven kollektiven Person und denen einer lebendigen, unteilbaren Person geben mag, die Unterschiede sind doch tiefgreifend und bezeichnend. Die erstere ist notwendigerweise weithin mechanisch unpersönlich; der Amtsträger *als solcher* spricht, denkt und handelt als Organ und als Ausdruck gemeinschaftlichen Redens, Denkens und Tuns. Gerade als Amtsträger wird eher über ihn bestimmt, als daß er selbst-bestimmend wäre, und insofern ist er unpersönlich. Ich möchte sagen, daß sieben Charakteristika immer die tiefsten Augenblicke und Bestrebungen des Menschen charakterisieren, und daß sieben gegensätzliche Charakteristika immer die offiziellen Akte als solche prägen.

(Neues und Vergangenes)

Erstens: Immer wenn solch ein Mensch ganz tief und selbstvergessen denkt und will, betet und verehrt, leidet und sich freut, wenn er etwas hervorbringt, dann ist *diese* Tat, *dieser* Zustand, *dieses* Ergebnis, gerade *dieser* Mensch wahrhaft *neu* und original. Denn wie identisch diese Gesamtheit aus Motiven, Erfassungen, Willensregungen geistigen Erleuchtungen und Gnaden, von moralischen Fähigkeiten, Schwächen und Kräften in der Tat des Glaubens, der Hoffnung, der Liebe und des Vertrauens – sei es mitten im Leiden oder im Tod oder in der geistig schöpferischen Tat irgendeiner Art – auch scheinen mag; wie identisch diese Gesamtheit auch scheinen mag mit früheren Akten derselben einzelnen Personen oder aber auch mit ähnlichen Akten von zahllosen anderen Repräsentanten der Mehrzahl der verborgenen Seelen, die die unsichtbare Kirche bilden; dennoch ist diese Gesamtheit, dieser Zustand, diese Tat *neu*. Sie ist zumindest in dem Sinne neu, daß sie für diesen besonderen Menschen, an diesem besonderen Punkt von Ort und Zeit neu ist; und tatsächlich ist sie in einem jeden Falle auch auf zahllose andere Weise neu und einmalig. Und wo diese Neuheit überhaupt wirkmächtig und von lange dauernder Fruchtbarkeit ist, ist sie einer Offenbarung nicht der Zeit, sondern der Ewigkeit ähnlich und in bestimmtem Umfang bereits Ewigkeit. Zum mindesten wird diese Gesamtheit eher eine Dauer von sich gegenseitig durchdringenden Erfahrungen sein als eine klare Aufeinanderfolge von Erfahrungen in der Zeit, wo ein jedes Element das andere ausschließt. Denn (Uhr-)Zeit ist eine Projektion in den Raum, die unsere Vorstellung bewirkt, wenn sie uns dazu helfen will, einen einleuchtenden, problemlos übertragbaren Bericht von diesen inneren Erfassungen zu geben. Wir lösen die Gesamtheit in ihre einzelnen Elemente auf, die wir dann linear in der Ordnung ihrer Abhängigkeit aneinanderordnen.

Im Gegensatz zum *Totum Simul* dieser lebendigen, quasi-zeitlosen Gegenwart repräsentiert die Autorität als solche notwendigerweise immer das Vergangene, das Schon-Gewesene, eine Vergangenheit, die zwar in ihrer Zeit die ›unendliche Vielfalt‹ einer prächtig lebenden Kleopatra hatte, heute aber, wie so viel Mumienstaub, in die weit geöffneten, flehenden Augen von lebendigen, lichtsuchenden Seelen geworfen wird.

(Einsamkeit und Gemeingeist)

Zweitens: In solchen Augenblicken religiöser Bemühung ist die Seele einsam und auf sich gestellt. Sie ist nicht nur vom Normalen, von der

Mehrzahl der Menschen und in der Regel auch von denen, die ihr körperlich am nächsten stehen, entfremdet, sie ist auch entfremdet von ihrem eigenen alltäglichen Denken und von ihren gewöhnlichen Momenten: in einem wahren und notwendigen, wenn auch normalerweise völlig unpsychologischen Sinne ist sie ekstatisch. General Gordon und Feldmarschall Moltke, Charles Darwin und Friedrich W. Robertson, Jakob Grimm und Wilhelm von Humboldt, Fichte und Hegel, Pascal und Spinoza, Augustin und Plotin: in ihren tiefsten und besten Augenblicken kannten sie alle in verschiedenen Graden und Formen dieses Gefühl sehr genau.

Im Gegensatz dazu besteht die Autorität als solche notwendigerweise auf der Mehrheit, dem Gewöhnlichen, sowohl in den Gedanken eines jeden einzelnen Menschen als auch eines Menschen innerhalb der Menschheit. Sie kann nicht anders sein als philisterhaft, sie repräsentiert direkt diesen ›Gemeingeist‹, den Schopenhauer mit ausgezeichnetem Tiefblick als den größten Frevel erklärt, den wir dem Geist und Sinn unseres Herrn antun können, wenn wir ihm einen derartigen ›Gemeingeist‹ im ursprünglichen Sinn oder im allgemeinverbreiteten Verständnis des Wortes zusprechen.

(Aktivität und Passivität)

Drittens: In diesen Augenblicken ist die Seele unendlich aktiv, in überfließendem Maße *sie selbst*, auch wenn gerade die Fülle dieses Tätigseins es verhindert, daß irgendwelche Spuren davon im gleichzeitig vom Gefühl der Passivität bestimmten Bewußtsein des Handelnden sichtbar werden. Ihr scheinbar einfaches Sich-Anpassen, Leiden, Nicht-aktiv-tätig-Sein sind im Grunde Taten, Taten einer völligen und zentralen Selbstbestimmung. Wenn hier Leiden erlebt wird, ist es das Leiden der Ausweitung und des personalen Wachsens, eines Ansturms gegen die armseligen Barrieren, die sich dieser Flut von selbst-hingegebenem und sich selbst bestimmendem Leben entgegenstellen, Barrieren, die sich aus den Grenzen ihres Wesens und noch mehr aus ihrer faktisch verwirklichten Natur ergeben, und zwar aus der Vorherrschaft von schlechten oder üblen Gewohnheiten, den Wirkungen vergangener Feigheit und Selbstsucht. Wenn hier Freude erlebt wird, dann ist dies verursacht durch das Tätigsein gegen das, was lediglich in mir fort-existiert und was dennoch den Anspruch von Endgültigkeit und Vollständigkeit zu erheben wagt. Und dieses Tätigsein wird geheimnisvoller Weise immer mehr als das eigene empfunden, wenn man gleichzeitig erkennt, daß es weit mehr, daß es letztlich Gottes Wirken ist, sein Tun in der Möglichkeit, den Umständen, der Wirklichkeit, der Wahrheit, der Kraft und der Fruchtbarkeit dieses Wirkens.

Im Gegensatz dazu besteht die Autorität auf einer wahren Passivität. Sie besteht darauf, für uns zu handeln und daß wir selbst lediglich handeln dürfen, indem wir uns selbst einschränken, um dadurch Raum für ihre Aktionen freizumachen. Höchstens wird sie zugestehen, daß wir uns von ihr anspornen lassen und so mechanisch und wiederholend wie möglich ihre Anweisungen und Taten verwirklichen.

(Risiko und Sicherheit)

Viertens: In solchen Augenblicken, wie wir sie betrachten, riskiert und wagt die Seele vieles und ist sich dieses Risikos wahrhaft auch bewußt. Wie Atmen, Essen und Gehen, wie Krankenpflege, Feuerwehr und Rettungsdienst, wie Mutterschaft und Kindbett unvermeidbare Risiken in sich bergen und dies in dem Maße, in dem ein Werk, das angestrebt oder erreicht wird, edel ist, so ist jedes wahrhaft edle Leben weitgehend dadurch edel, daß es mutig alle Risiken riskiert hat, die zu seiner Ausweitung, seinem Wachstum und seiner Fruchtbarkeit notwendig sind. Denn diese letzteren sind die einzig wahre Sicherheit, die für Menschen hier auf Erden erreichbar ist.

Im Gegensatz zu dieser inneren (oder ausdrücklich gewollten), dynamischen, schließlich zu erreichenden und stärkenden Sicherheit besteht die Autorität notwendigerweise auf einer hauptsächlich äußeren, statischen, unmittelbaren und schwächenden Sicherheit – auf der Ausschaltung von Risiken, soweit wie dies möglich ist; und sie tendiert dabei von sich aus und durch diese Ausschließung direkt darauf hin, nicht nur das Risiko, sondern sogar die schreckliche Realität von Stagnation und Sterilität hervorzubringen.

(Wahrhaftigkeit und offizielle Wahrheit)

Fünftens: In solchen Augenblicken erkennt die Seele, daß ihre letzte Rettung in innerer (d. h. direkt gewollter) Wahrhaftigkeit besteht – in ihrem demütigen, zuversichtlichen und liebenden Suchen nach materialer, objektiver Wahrheit durch eine stets wachsende Reinheit der (eigenen) Neigung und Absicht und durch einen stets zunehmenden Versuch, das zu werden und das zu sein, was sie erkennt. Sie wird so eher fortfahren, die Wahrheit redlich und mit Selbst-Hingabe zu suchen und so der Wahrheit, die sie sucht und die bereits innerlich auf eine solche Seele einwirkt, unbewußt ähnlich werden, als daß sie die Wahrheit in solch einer statischen und selbstzufriedenen Weise festhalten würde, daß dies ihre weitere Annäherung und die Erfassung dieser Wahrheit blockieren würde.

Im Gegensatz dazu besteht die offizielle Autorität notwendigerweise auf dem Ziel und nicht auf den Mitteln, jedenfalls nicht auf den innerlichen Mitteln. Sie besteht mehr auf der objektiven Wahrheit als auf der subjektiven Wahrhaftigkeit, auf der Wahrheit als einer statischen Sache, die leicht übertragbar und mit gewissen Formeln identisch ist – auf einer Orthodoxie, einem Ding.

(Wahrheit in der Tiefe und an der Oberfläche)

Sechstens: In solchen Augenblicken erkennt der Mensch, daß Schönheit, Wahrheit, Güte, Geist und Gott in und hinter der Welt der Phänomene als ganzer und unserem Leben als ganzem und durch sie hindurch existieren und wirken – zwar in verschiedenen Graden und auf verschiedenen Wegen, aber immer und überall; daß sie aber überall nur durch die Konzentration, das Gebet, das Leiden und die Selbsthingabe des Menschen erreicht werden können. Bestimmte Zeiten und Orte, Riten und Formen erweisen sich zweifellos als Mittel und Kanäle einer speziellen Hilfe, aber alle diese Dinge sind für die Seele Vermittlungen der Gnade, die sie auch zurückweisen, die sie annehmen und nutzen kann und soll.

Im Gegensatz dazu tendiert die offizielle Autorität dahin, Schönheit, Wahrheit und Güte als Erscheinungen in der Welt der Phänomene zu finden, die neben und auf der gleichen phänomenalen Ebene wie Häßlichkeit, Irrtum und Bosheit existieren – denn diese letzteren Gegensätze werden ebenso als Phänomene behandelt. Sie tendiert darauf, alle diese phänomenale Schönheit, Wahrheit und Güte an einem bestimmten Platz oder Ort zu finden. Man braucht die Welt nur mit den normalen physischen Augen und mit dem normalen Gemeinsinn anzuschauen und einen ganz einfachen Vergleich anzustellen, und wie sich Land von Wasser unterscheidet, wie Irland als Insel von Großbritannien getrennt erscheint, so steht die phänomenale Ansammlung von Wahrheit und Güte, die sichtbare Gottesstadt, der sichtbaren Stadt des Teufels, der phänomenalen Ansammlung allen Irrtums und aller Schlechtigkeit gegenüber und entgegen. Es ist, als ob eine vertikale, geologische Betrachtungsweise durch eine horizontale, geographische Sicht und die aus jener folgende Notwendigkeit, in unseren Untersuchungen in die Tiefe zu graben, durch die einfache Aufgabe ersetzt worden wäre, das zu suchen, was auf der Oberfläche des Lebens liegt.

(Pessimismus und Optimismus)

Siebtens und letztens und als die unvermeidliche Konsequenz aller dieser Charakteristika erfährt der Mensch in diesen seinen tiefsten Augenblikken Optimismus in einem Pessimismus und durch ihn. Er findet nämlich seine tatsächlich alltäglichen und sogar alle seine überhaupt faßbaren Erfolge niemals als so gewöhnlich, so unerträglich klein, befleckt und schäbig, oder die bewußten und bekannten alltäglichen Äußerungen seiner Mitmenschen niemals als so bedrückend und erbärmlich, wie in den Augenblicken, in denen er am umfassendsten erkennt, daß in seinem eigenen armseligen Selbst etwas von bleibender Wahrheit und Güte durchbricht und wächst, wirkt und urteilt und daß von diesem selbst-inkarnierten Wirken des Geistes Gottes ein vielfaches Mehr in Seiner großen weiten Welt draußen geheimnisvoll, aber mächtig webt und wirkt, in einer Welt, die im Grunde gut und sehr gut ist.

Im Gegensatz dazu ist die Autorität notwendigerweise – zumindest was ihre eigenen Taten und die Ergebnisse dieser Taten in Vergangenheit, Gegenwart und Zukunft betrifft – durchwegs optimistisch. Sie kann weder den tragischen Grundton zulassen noch den der Zartheit oder den des Humors, der das wahre Salz der Erde ist. Das Gefühl und der Ausdruck des ergreifenden Gegensatzes und des edlen Hell-Dunkel in unserem Schicksal, das düstere tiefe Licht von Getsemani und von Kalvaria, das auf die Gestalt des göttlich Exkommunizierten trifft, ist ihr zu viel, und das Lächeln des Kindes Jesus scheint ihr irgendwie zu wenig zu sein« (EA II S. 5–10).

Persönliche, von der Mystik geprägte Frömmigkeit und amtliche, gemeinschaftliche, kirchliche Religiosität sind damit nach von Hügels Überzeugung grundlegend gegenläufig strukturiert. Es ist nicht zu übersehen, daß seine Sympathien auf seiten der personalen Frömmigkeit lagen. Wäre es nicht angezeigt, so ist hier zu fragen, um dieser persönlichen Frömmigkeit willen und um sie rein und unbehindert entfalten zu können, sich der gemeinschaftlichen, kirchlichen Seite der

Religion zu entledigen? Wenn Gemeinschaft offensichtlich die Mystik hemmt, müßte man dann nicht auf eine kirchenfreie Mystik abzielen?

Auf diese »einfache« Weise läßt sich nach von Hügel das komplexe Verhältnis von Mystik und Kirche jedoch nicht lösen. Ganz im Gegenteil: er wird nicht müde zu betonen – und in zunehmendem Alter drückt er diese Überzeugung immer deutlicher aus –, daß es die Aufgabe des religiösen Menschen im allgemeinen und des Christen im besonderen sei, in dem Maße, als er die personale Frömmigkeit entwickelt hat, auch die gemeinschaftliche, *kirchliche* Seite der Religion zu entfalten. Die Mystik hat sich nach dieser Konzeption im Raum von Kirche zu entfalten und dazu beizutragen, erstarrte kirchliche Formen wieder zu verlebendigen und für persönliche Frömmigkeit offen zu gestalten. Auf der anderen Seite bedarf die Mystik nach von Hügels Überzeugung ihrerseits des kirchlichen Rahmens, damit sie nicht in eine rein individuelle und letztlich unverbindliche Innerlichkeit abgleitet, die weder der Welt noch dem einzelnen Menschen etwas zu sagen hat und sein Verhalten prägen könnte. Die *Mystik* bedarf der ihr entgegenstehenden *Kirche*. So gilt es nach dieser Überzeugung, die beiden Seiten, individuelle und gemeinschaftliche Religiosität, in gleicher Weise zu entwickeln und beide Pole, so sehr sie zueinander auch in Spannung stehen mögen, in einem reichen, umfassenden Leben zu verwirklichen.

Vom Gegensatz der Spannung und der Einheit zwischen mystisch-individueller und gemeinschaftlich-kirchlicher Frömmigkeit blieb von Hügels Denken zeitlebens bestimmt. Dabei bekam besonders der Konflikt, der an fünfter Stelle des Aufsatzes zitiert wurde, Bedeutung: das Verhältnis von individueller, persönlicher Wahrhaftigkeit und autoritativ vertretener Wahrheit. Huvelin hatte geraten, sich immer um Wahrhaftigkeit zu bemühen und dem Gewissen zu folgen,

Wahrheit und Orthodoxie müßten und würden sich nach dem Gewissen richten. Wie aber sollte man sich verhalten, wenn die mit größter Redlichkeit und Wahrhaftigkeit errungenen Erkenntnisse der offiziellen Wahrheit klar und deutlich zu widersprechen scheinen, wenn die Rechtgläubigkeit nicht der Redlichkeit folgte? Dieser Fall war in den geistlichen Regeln Huvelins in dieser Schärfe noch nicht vorgesehen. Doch in dem Maße, in dem von Hügel in die Auseinandersetzungen zwischen der mächtig aufblühenden historisch-kritischen Wissenschaft und ihren Forschungen am Alten und Neuen Testament eindrang, wurde er vor diese Alternative gestellt: sollte er den gesicherten Erkenntnissen der historischen Kritik folgen, also individuelle Redlichkeit und Wahrhaftigkeit üben, oder mußte man sich in den Fällen, in denen die offizielle Lehre diesen Erkenntnissen widersprach und sie als irrgläubig verurteilte, doch der offiziellen Wahrheit anschließen? Wie sollte er das Programm verwirklichen, das er sich selbst gesetzt hatte: Ich will beitragen, »die alte Kirche *intellektuell* so wohnlich zu machen, wie ich es vermag?« (SL S. 347)

Wie vermochte es von Hügel in seiner Zeit und der durch ihn mitbestimmten Situation, historische Arbeit und Redlichkeit mit der Loyalität zu der Kirche zu verbinden, die allen jenen Neuaufbrüchen fast ausschließlich mit Verurteilungen begegnete? Hier muß in einigen Zügen von Hügels Weg in die kritische Exegese und seine Bedeutung in der beginnenden Modernismuskontroverse gezeichnet werden.

FREIHEIT DER WISSENSCHAFT UND TREUE ZUR KIRCHE

In die historische Problematik war Friedrich von Hügel schon als Jugendlicher in seinen Brüsseler Jahren eingeführt worden. Bald nach seiner »Konversion« faßte er den Entschluß, Griechisch zu lernen, damit er sich das Neue Testament auch in der Ursprache erarbeiten konnte. Er mußte aber bald erkennen, daß eine eingehende Beschäftigung mit der Schrift auch die Kenntnis des Hebräischen voraussetzte. Er nahm daraufhin Unterricht bei einem jüdischen Gelehrten, der ihn nicht nur in die Sprache, sondern auch in die Welt der Synagoge und in jüdisches Denken einführte.

1892 subskribierte von Hügel – damals vierzig Jahre alt – die Reihe »Enseignement biblique«. Er war, wie Alfred Loisy, der Gründer und Herausgeber dieser Studien, vermerkte, unter den ersten Abonnenten. Von den nach streng historischen Erfordernissen durchgeführten Arbeiten war er so angetan, daß er schon ein Jahr später, im Oktober 1893, auf seiner Reise nach Rom *Alfred Loisy* in Paris besuchte. Zwischen dem jungen französischen Professor – er war fünf Jahre jünger als von Hügel – und dem englisch-deutschen Privatgelehrten entwickelte sich eine Freundschaft, die für beide überaus bedeutsam, ja lebensbestimmend wurde. In Loisys dreibändigen Memoiren, die 1930/31 veröffentlicht wurden, nehmen die Darstellung der Positionen von Hügels und Zitate aus seinen Briefen einen so breiten Raum ein, daß die Meinung geäußert wurde, man könnte diese Memoiren ebensogut »als die des österreichischen Barons wie als die Loisys betrachen«[6].

Als von Hügel erstmals mit Loisy in Paris zusammentraf, zogen sich über jenem die Wolken, die auf ein kirchliches Unwetter hindeuteten, bereits bedrohlich zusammen. Der Erzbischof von Paris, *Kardinal Richard*, verlangte die Einstellung von »Enseignement biblique«. Man sprach von der bevorstehenden päpstlichen Enzyklika, die die kritischen exegetischen Arbeiten verurteilen würde und im Gegensatz zu den Ergebnissen der historischen Kritik neu bekräftigen würde, daß Moses als Autor des Pentateuch und der Apostel Johannes als der Verfasser des vierten Evangeliums anzusehen seien.

Von Hügel machte sich Loisys Sorgen und Anliegen zu eigen. Er reiste weiter nach Fréjus, um den dortigen *Bischof Mignot* zu veranlassen, für Loisy und seine wissenschaftliche Arbeit einzutreten. Eudoxe-Irénée Mignot, der Bischof von Fréjus und spätere Erzbischof von Albi, war einer der wenigen kirchlichen Würdenträger, die den neuen theologischen Ansätzen offen gegenüberstanden und sie begrüßten. Als langjähriger Freund und Vertrauter Loisys und von Hügels spielte er in den ersten Jahren des Modernismus eine wesentliche Rolle. Er versuchte zeitlebens – ähnlich wie von Hügel – zwischen den »Modernisten« untereinander und gegenüber den offiziellen kirchlichen Stellen zu vermitteln. Von Hügel konnte Mignot veranlassen, daß dieser einen Brief an den Papst schrieb und ihn dabei beschwor, der Wissenschaft größtmögliche Freiheit zu gewähren. Keinesfalls sollte eine direkte Verurteilung von Personen und Positionen erfolgen. Von Hügel ergriff hier zum erstenmal in einer Weise Initiative, wie es für sein späteres Leben bezeichnend werden

[6] *F. Sartiaux*, L'œuvre d'Alfred Loisy, in: Alfred Loisy. Sa vie–son œuvre, hrsg. v. É. Poulat, Paris 1960, S. 265.

sollte: er knüpfte Kontakte zwischen seinen Freunden und setzte seinen Einfluß, den er in diesen Jahren noch hatte, dafür ein, daß eine kirchenamtliche Verurteilung verhindert würde.

Ohne von Hügels Bemühung, seine Freunde untereinander in Kontakt zu bringen und deren Werke innerhalb des Kreises publik zu machen, ohne seine fast unabsehbaren persönlichen und vor allem brieflichen Verbindungen wären die verschiedenen Tendenzen des kirchlichen Neuaufbruchs um die Jahrhundertwende wohl nicht in dem Maße als eine geschlossene Einheit erschienen, daß sie von römischer Seite als eine Bewegung, als *Modernismus*, hätten charakterisiert und verurteilt werden können.

Man nannte von Hügel den »Verbindungsoffizier« der Modernisten und bezeichnete ihn als den »bestinformierten Mann der ganzen Bewegung«. Es herrschte der Eindruck: »Durch seine Hand scheinen die internationalen Fäden des Modernismus zu laufen.«[7] Von hier aus wird es auch erklärlich, warum Loisy rückblickend in seinen Memoiren den Tag des Gesprächs zwischen Bischof Mignot und Baron von Hügel als »erinnerungswürdig in der Geschichte des katholischen Modernismus (bezeichnete). Ich wäre sehr geneigt, ihn als eines der Daten anzusehen, die man als dessen Beginn angeben könnte« (Mém I S. 293).

Dennoch war die mutige Tat Mignots, die nach Loisys Überzeugung den Bischof sehr kompromittierte, ohne Erfolg: die Enzyklika *Providentissimus Deus* war bereits fertiggestellt, sie wurde in den letzten Novembertagen 1893 veröffentlicht. Gegen diese Enzyklika wurden in England von anglikanischer Seite heftige Angriffe erhoben, die nicht nur Kritik an Einzelaussagen übten, sondern auch die Berechti-

[7] *J. Kübel*, Geschichte des katholischen Modernismus, Tübingen 1909, S. 144.

gung des kirchlichen Lehramtes insgesamt in Frage stellten. Gegen diese Einwände versuchte von Hügel die Enzyklika dadurch zu rechtfertigen, daß er ihr eine insgesamt *liberale Auslegung* gab. Er schrieb, daß er »mit der Endgültigkeit des Glaubens an die katholische Kirche, mit der moralischen Gewißheit der normalen menschlichen Überzeugung an die Grundprinzipien und die notwendigen Ergebnisse der historischen und der kritischen Methode« [8] glaube. In dieser doppelten Gewißheit sah er die Notwendigkeit einer weiten Interpretation unumgänglich: nur auf diesem Wege sei Treue zur Kirche mit wissenschaftlicher Redlichkeit zu verbinden. Die Frage nach dem kirchlichen Lehramt und seiner Autorität beantwortete er dahingehend, daß dieses in Fragen der kritischen Forschung eine *indirekte* und lediglich *disziplinäre* Gewalt, in Fragen des Glaubens jedoch eine *direkte* und zugleich *disziplinäre* Gewalt habe. Damit war gesagt, daß die kirchlichen Autoritäten nach von Hügels Überzeugung immer disziplinäre Vollmacht haben: sie können äußerstenfalls einen Theologen als Glied der Kirche dazu verpflichten, zu schweigen und gewisse Vorstellungen nicht öffentlich zu vertreten. Sie können aber nicht wissenschaftliche Urteile durch lehramtliche Entscheidungen ersetzen oder aufheben. Aussagen des Lehramts zu Fragen der kritischen Wisenschaft können praktische Konformität, nicht aber unbedingt auch innere Zustimmung erwarten. Im Bereich des Glaubens, der als Tiefendimension hinter den historischen Einzelerkenntnissen liegt und diese transzendiert, kann das kirchliche Lehramt dagegen nicht nur disziplinäre Unterordnung, sondern auch innere Annahme verlangen; hier kann es durch Glaubensaussagen direkt eingreifen. Die Erkenntnisse der historischen Forschung sind dagegen nach von Hügels Überzeugung durch lehramtliche Regelungen nicht direkt beeinflußbar.

[8] The Papal Encyclical and Mr. Gore, in: The Spectator 19.5.1894, S. 648f.

In den Fragen der Exegese waren kirchenamtlich die Entscheidungen durch die Enzyklika zunächst einmal gefallen; Loisy wurde vom Kardinalstaatssekretär Rampolla bedeutet, er solle seine Talente »zur Ehre Gottes und zum Wohl des Nächsten« in »irgendeinem anderen Zweig der Wissenschaft«, aber nicht mehr in der historischen Kritik ausüben (Mém I S. 317). Seine Unterwerfung unter die Enzyklika, die er hatte unterschreiben müssen, war vom Papst angenommen worden. Er wirkte nun allerdings nicht mehr als Professor am Institut Catholique in Paris, sondern als Hausgeistlicher an einer Mädchenschule.

In Rom im Winter 1894/95 beschäftigte Friedrich von Hügel vorwiegend ein aktuelles kirchenpolitisches Thema: das Problem der Gültigkeit der *anglikanischen Weihen*. Dabei wurde die Frage nach der ununterbrochenen Kette der Handauflegungen in der Zeit der Reformation gestellt, die Diskussion also primär unter historischen Gesichtspunkten geführt. Von Hügel vertrat hier eine mittlere Position zwischen der Auffassung Duchesnes, der die Gültigkeit der Weihen behauptete, und der Vorstellung, daß ihre Ungültigkeit sicher feststehe. Er war der Meinung, daß in dieser Frage keine *historische* Sicherheit zu gewinnen sei. Die kirchliche Praxis solle sich darum »wie immer durch das alte traditionelle Prinzip leiten lassen, in Dingen, die sich auf die Sakramente beziehen, die sicherere Meinung vorzuziehen. Deshalb sei das Äußerste, was vernünftigerweise erwartet werden könne, wenn nicht ein erheblicher Wandel in der Quellenlage oder in der Wertung der Quellen eintritt, daß die anglikanischen Weihen *sub conditione* wiederholt werden sollten«.[9]

In Kreisen des Vatikans bis zu Papst Leo XIII. und Kardinalstaatsekretär Rampolla stand man den Fragen der anglika-

[9] L'abbé Duchesne and Anglican Orders, in: The Tablet 84 (1894) S. 776.

nischen Weihen aufgeschlossen gegenüber. Von Hügel konnte mit Rampolla die anstehenden Probleme offen diskutieren. Er machte aber die bedrückende Erfahrung, die er Rudolf Eucken in einem Brief nach Jena mitteilte, daß nämlich »die kirchlichen Behörden eigentlich nur von zweierlei Mächten beeinflußt oder doch bestimmt würden: den Massen und den Regierungen«. Als Rampolla von Hügel einlud, über diese Fragen ein Memorandum für den Papst zu verfassen, argumentierte der Baron weniger mit der Frage nach der Wahrheit und der historischen Beweisbarkeit als vielmehr mit der Wirkung auf die *öffentliche Meinung*, die eine wie auch immer geartete päpstliche Entscheidung in der gebildeten Welt Englands hervorrufen würde. Er hatte das Gefühl, daß dies mehr Eindruck auf die Kirchenleitungen machen würde als eine Darlegung historischer Beweise und ihrer Schwierigkeiten. Unter diesem Gesichtspunkt sprach von Hügel in seinem Memorandum gleichzeitig auch über die Probleme, die durch das von Kardinal Manning erwirkte Verbot entstanden waren, nach dem es den Katholiken untersagt war, an den Universitäten Oxford und Cambridge zu studieren; ferner plädierte er für eine weite Auslegung, deren die Enzyklika *Providentissimus Deus* bedürfe.

In dieser Zeit konnte sich von Hügel auch für *Maurice Blondel* einsetzen. Es gelang ihm, dessen Werk *L'Action* vor der Indizierung zu bewahren. Allerdings brachten ihm diese Aktivitäten erste kirchenamtliche Rügen ein. Kardinal Ledochowski nannte von Hügels Bemühungen als die eines Laien eine »impertinenza«, und Kardinal Merry del Val, mit dem der Baron zeitweilig freundschaftlich verkehrte, schrieb an Kardinal Vaughan in London: »B^{n} von Hügel reist nächste Woche ab, und ich bin nicht traurig darüber, denn er scheint die Kunst zu besitzen, beizutragen, Verwirrung zu stiften, ohne daß er irgendwelche theologischen oder historischen Kenntnisse über die anstehenden Fragen besäße« (Bar S. 60).

Im Winter 1895/96 konnte von Hügel in Rom wiederum auf dem Feld der kritischen Exegese arbeiten. Er nahm aktiv an den Versammlungen der *Società degli Studi Biblici* teil. In diesen Monaten stand er in vertrautem Umgang mit dem jungen *Eugenio Pacelli:* auf ihren ausgedehnten Spaziergängen zu historischen Stätten der Heiligen Stadt diskutierten sie die Probleme der Bibelkritik.

In Rom trat die *Tendenzwende* im Sommer 1896 ein. Die anglikanischen Weihen wurden im September für »absolut null und nichtig« erklärt. Mit dieser Entscheidung hatte von Hügel inhaltlich wenig Schwierigkeiten: der Ton und die Härte aber, in denen sie vorgetragen wurde, bedrückten ihn sehr. So schrieb er an Kardinal Vaughan: »Meine äußere Schwierigkeit ist ganz allgemeiner Art. Es ist die Befürchtung, daß diese Entscheidung in unseren Reihen einen Ton zu fördern vermag, der mich, der ich ein voller Katholik und, so Gott will, ein frommer Katholik bin, seit mehr als einem Vierteljahrhundert sehr gequält hat, ein Ton, der, ich weiß dies sehr genau, eine fast unüberwindliche Barriere für meinen Übertritt in die katholische Kirche aufgerichtet hätte, wenn ich das Unglück gehabt hätte, außerhalb der Kirche geboren worden zu sein« (Bed S. 91f).

Bei seiner Rückkehr nach Rom zum Winter 1896/97 fand er eine grundlegend veränderte Situation vor: die als liberal geltenden Kreise waren suspekt, die streng konservativen Kräfte um die Zeitschrift *Civiltà Cattolica* hatten wesentlich an Einfluß gewonnen. Man rechnete in Rom allgemein mit dem baldigen Tod des bereits 86jährigen Papstes Leo XIII. und wollte sich in dieser Übergangssituation nicht kompromittieren. Von Hügel schrieb über diesen Umschwung an Loisy: »Die Situation hat sich weiterhin verschlechtert, verengt und verdüstert, seit meiner Abreise von hier Ende April« (Mém I S. 421). In diesem Brief stellte er fest: »Einen jungen Kleriker, den ich im Frühjahr sehr offen gefunden habe, finde ich in diesem Herbst völlig verschlossen«. Auch diesen Satz nahm Loisy zur Dokumentation der allgemeinen Lage in seine Memoiren auf. Er konnte nicht ahnen, daß der junge Kleriker, über dessen Kehrtwendung von Hügel klagte, Eugenio Pacelli, der künftige Papst Pius XII., war, der sich in diesem Sommer, offensichtlich unter dem Eindruck der allgemeinen kirchenpolitischen Lage, aus allen Kreisen zurückzog, die als liberal verdächtigt werden konnten.

Von Hügel verfaßte in diesen Jahren mehrere Aufsätze und hielt einige Vorträge über biblische Fragen, in denen er sich als Fachmann auswies und die teilweise auch internationale Beachtung fanden. Insgesamt aber stand er in den Einzelfragen der wissenschaftlichen Exegese weithin unter dem Einfluß Loisys; auf diesem Feld war er ein Mann des zweiten Gliedes. Seine hauptsächliche Bedeutung für die Exegese war *kirchenpolitischer* Natur: er setzte seinen ganzen Einfluß ein, um eine Verurteilung Loisys und der freien wissenschaftlichen Forschung zu verhindern, wobei er sich aber in aller Öffentlichkeit mit Loisy solidarisierte und dessen Erkenntnisse übernahm. In diesem Sinne schrieb er an Tyrrell, er habe das sehr ernüchternde Gefühl, Gott wolle in benützen, »Geschichte zu machen, nicht nur sie aufzuzeichnen« (SL S. 103).

Alfred Loisy hatte seit seiner ersten Zusammenkunft mit Friedrich von Hügel stets neue Konflikte mit Kardinal Richard von Paris auszufechten. Eine letzte Chance, die drohende Indizierung der Werke Loisys zu verhindern und eine offenere Haltung der offiziellen kirchlichen Stellung zu erreichen, schien sich noch einmal zu ergeben, als 1901 die römische *Gesellschaft für biblische Studien* gegründet wurde. Sie sollte für bibeltheologische Fragen zuständig sein: damit würden Fachleute über die anstehenden Probleme zu entscheiden haben und nicht mehr ausschließlich die Mitglieder des Heiligen Offiziums, denen von ihrer systematisch-neuscholastischen Herkunft her jedes Verständnis für die historische Exegese abging. Von Hügel als anerkannter Fachmann in biblischen Fragen wurde gebeten, dieser Gesellschaft beizutreten. Doch er lehnte ab: er war zu sehr mit Loisy verbunden, als daß er in offizieller Stellung an einer Verurteilung seines Freundes hätte mitwirken wollen. Er fühlte sich als Partei und wollte seine Freiheit nicht durch eine amtliche Stellung beeinträchtigen lassen.

Dennoch verbanden sich mit dieser Neugründung viele Hoffnungen, zumal da fast alle ihre Mitglieder den Fragen der modernen Exegese aufgeschlossen gegenüberstanden. Doch schon bald kam die Enttäuschung: ein Jahr später wurden zu den zwölf Gründungsmitgliedern achtundzwanzig neue Mitglieder berufen, von denen keines für die Beurteilung der exegetischen Erkenntnisse qualifiziert war, die aber alle vom Standpunkt des offiziellen kirchlichen Systems her dachten. Bald erhielt jene Gesellschaft die Bezeichnung *Bibelkommission*. Unter diesem Namen wurde sie als die Instanz einer oft sehr engen und bedrückenden Zensur der Exegeten bekannt.

Die Lage Loisys wurde durch diese Entwicklung überaus prekär. Von Hügel konnte ihm nur wenig Hoffnung machen. Die neue Zusammensetzung der Bibelkommission war ganz eindeutig »ein Sieg der Anderen über die Unseren«. In dieser Situation fand der Baron seine Hoffnung darin – und dies ist eine für ihn typische Denkweise, die in ähnlichen Fällen immer wieder begegnet –, die Kommission würde so offensichtlich absurde Urteile fällen, »daß dieser Exzeß selbst eine sehr deutliche und heilsame Reaktion hervorruft« (Mém II S. 218). Sicher war das nur ein schwacher Trost für Loisy, der nicht daran zweifeln konnte, daß die Exzesse kirchenamtlicher Verurteilungen zuerst ihn treffen würden.

Eine Beruhigung in der immer schärfer werdenden Auseinandersetzung erhoffte sich Loisy, wie er im Mai 1902 an von Hügel schrieb, durch ein Buch, das er gegen Adolf von

Harnacks *Das Wesen des Christentums* verfaßte. Harnack hatte die Botschaft vom barmherzigen Vatergott als die Mitte des Evangeliums bezeichnet. Das Reich Gottes sah er in einer rein innerlichen Beziehung zu diesem Vater, von der eine Kirche als Gemeinschaft nur Abfall bedeuten könnte. Dagegen erbrachte Loisy den Beweis, daß das Christentum in der Kirche und durch die Kirche gelebt hat. Sein Buch, das unter dem Titel *L'Evangile et l'Eglise* erschien, sollte zur Magna Charta des Modernismus werden. Loisy verband darin rückhaltlose *historische Kritik* in der Frage der Kirchenstiftung durch den historischen Jesus mit dem Newmanschen *Entwicklungsgedanken*. Von Hügel hatte Loisy Newmans *Essay on the Development of Christian Doctrine* geschenkt. Die hier vorgetragene Entwicklungslehre wurde zum Strukturprinzip der Argumentation Loisys. Sicher hat, wie er urteilte, der historische Jesus keine Kirche gegründet. Er lebte im Bewußtsein der Naherwartung; für eine Zwischenzeit, eine Zeit der Kirche, blieb da kein Raum. Als aber die Naherwartung einem Denken in längeren Zeiträumen weichen mußte, trat an die Stelle der Botschaft vom Reiche Gottes, das Jesus verkündigt hatte, die Kirche, die als Weg und als Vorbereitung auf dieses Reich Gottes verstanden wurde. Die Kirche ist darum kein Abfall von der ursprünglichen Botschaft, sondern die notwendige und unausweichliche Folge der Verkündigung Jesu in einer weiterdauernden Geschichte. In der Verbindung von historischer Kritik und dem Gedanken der Entwicklung, wie sie sich in dem bekannten Satz ausdrückt: »Jesus hatte das Reich angekündigt, und dafür ist die Kirche gekommen«, [10] wollte Loisy keineswegs die Rechtmäßigkeit der Kirche bezweifeln, wie ihm oft zu Unrecht vorgeworfen wurde. Viel-

[10] *A. Loisy*, Evangelium und Kirche (Übersetzung der erweiterten, im Französischen nicht erschienenen 2. Auflage), München 1904, S. 112f.

mehr hat er versucht, mit den Mitteln der historischen Wissenschaft die Kirche zu legitimieren: er wollte »*eine historische Apologie*« für die Kirche geben.

Von Hügel begrüßte Loisys Werk voller Begeisterung. Er ließ alle seine Verbindungen spielen, um günstige Besprechungen in den wichtigsten Zeitschriften zu veranlassen. Als Verteidigung der katholischen Kirche in historischer Kontinuität und Notwendigkeit zur Botschaft Jesu stehend, wurde Loisys Buch in katholischen Kreisen zunächst allgemein wohlwollend aufgenommen. Aus Venedig erhielt Loisy die Nachricht, der dortige Patriarch sei ein »voller Bewunderer des kleinen Buches« (Mém II S. 225f) und er habe geäußert: »Da ist endlich ein theologisches Buch, das nicht langweilig ist«. Doch schon wenige Monate später (im August 1903) wurde der besagte Patriarch zum Papst gewählt. Er nahm den Namen *Pius X.* an. Mit dieser Wahl sollte die Auseinandersetzung um die Reform der Kirche, vor allem um die Freiheit der exegetischen Wissenschaften, einer verhängnisvollen Krise entgegentreiben.

Zunächst jedoch gingen die kirchenamtlichen Schwierigkeiten Loisys von Frankreich aus. Sein Werk fand reißenden Absatz und begeisterte Zustimmung. Im Januar 1903 sah sich Kardinal Richard veranlaßt, das Buch wegen seiner radikal durchgeführten historischen Kritik für den Klerus in Frankreich zu verbieten. Von Hügel riet seinem Freund, er solle die inzwischen vorbereitete zweite Auflage von *L'Evangile et l'Eglise* zurückziehen und ein eigenes Werk schreiben, »das nichts zurücknimmt, sondern mit ruhiger, fester, liebenswerter Würde verschiedene Punkte, die falsch verstanden wurden, erklärt« (Mém II S. 218). Dieser Rat sollte sich als verhängnisvoll erweisen. Denn dieses Buch, das im Oktober 1903 unter dem Titel *Autour d'un petit livre* erschien, war in sehr populärer Form geschrieben und fand weite Verbreitung. Vor allem hatte es nicht mehr die literarische Form einer

Apologie der katholischen Kirche, so daß die Positionen, die im ersten Werk Anstoß erregt hatten, nun mit besonderer Schärfe hervortraten.

Friedrich von Hügel war von der Rechtgläubigkeit Loisys völlig überzeugt. Auch die Aussagen des Exegeten, daß sich Jesus hinsichtlich der Frage der Naherwartung des Reiches Gottes offensichtlich geirrt habe, daß er nicht immer im Besitz des göttlichen Selbstbewußtseins gewesen sei und daß er, historisch gesprochen, keine Kirche gegründet habe, machten ihn in seiner Überzeugung nicht irre. Was wissenschaftliche Erkenntnis offenlegt, müsse auch im Rahmen der Kirche sein Recht behaupten können.

Andererseits waren die historischen Arbeiten Loisys auch innerhalb des Kreises der Reformkatholiken und Freunde von Hügels nicht unumstritten. Dies zeigt besonders deutlich die Kontroverse, die *Maurice Blondel*, mit dem von Hügel bis dahin in bestem Einvernehmen stand, mit dem Exegeten führte. Blondel war davon überzeugt, Loisy werde mit seiner Begrenzung auf die historische Untersuchung von der metaphysischen Vorentscheidung geleitet, daß keine andere Wirklichkeit erkennbar sei, als die durch historische Untersuchungen zu gewinnenden Phänomene. Da nun die Möglichkeiten, Jesus auf historischem Weg zu erkennen, wegen der Quellenlage der Evangelien eng begrenzt sind, ist es nach Blondels Überzeugung nicht zulässig, unser Wissen von Jesus und unseren Glauben auf den Rahmen der historischen Beweisbarkeit einzuschränken. »Jesus hat nur in den Sand geschrieben und sein Wort nur dem Wind anvertraut«.[11] Wer sich allein auf die historische Forschung verlassen möchte,

[11] Die Aufsätze M. Blondels gegen Loisys Methode der historischen Kritik wurden übersetzt: Geschichte und Dogma, eingel. v. *J. B. Metz* und *R. Marlé*, Mainz 1963, hier S. 81. Große Abschnitte dieser Abhandlungen erschienen bereits in Briefen Blondels an von Hügel, in: R. Marlé (Hrsg.), Au cœur de la crise moderniste, Paris 1960.

wer den Glauben der Kirche, das Dogma, die Tradition, das gläubige Bewußtsein des Christen nicht bereits in die historische Überlegung mit einbeziehe, der kann nach Blondels Überzeugung über Sand und Wind nicht hinauskommen.

Blondel setzte an diesem Punkt mit seiner sogenannten *Immanenzapologetik* ein. Diese begann nicht mit der Erforschung historischer Tatsachen, die von außen auf den Menschen zukommen, sondern mit der Analyse des Menschen, seiner Bestrebungen, Wünsche und Vorstellungen. Er wollte aufzeigen, daß die Erwartungen und Hoffnungen des Menschen im Christentum in höchster und vollkommenster Weise erfüllt sind. Der Mensch ist offen und ausgestreckt auf das, was ihm im Christentum begegnet. Ein Fremdes könne der Mensch weder erkennen noch in sein Leben aufnehmen. Für Blondel gilt: »Nichts könnte in den Menschen eingehen, was nicht aus ihm hervorgeht und nicht in irgendeiner Weise seinem Expansionsbedürfnis entspricht. Es gibt für ihn weder als historisches Faktum noch als tradierte Lehre noch als von außen auferlegte Verpflichtung etwas Wahres, das zählt, ein Gebot, das annehmbar wäre, falls es nicht in irgendeiner Weise autonom und eingeboren ist«.[12] Diese Methode lebt aus der *Entsprechung* von innerer Erwartung und übernatürlicher Erfüllung. Der christliche Glaube ist dem Menschen nach Blondel nur deswegen möglich, weil von außen erfüllt wird, was innerlich vom Menschen erwartet wird. In die Erforschung des Christentums, auch in die historische Untersuchung seiner Quellen, hat darum immer bereits die Erwartung, das gläubige Bewußtsein, die Tradition der Kirche miteinzugehen.

In der konkreten Anwendung dieser Prinzipien ergab sich für Blondel die philosophische Unmöglichkeit, daß man ex-

[12] *M. Blondel*, Zur Methode der Religionsphilosophie, Einsiedeln 1974, S. 137f.

egetisch zu Ergebnissen kommt, die dem Glaubensbewußtsein und der Erwartung des Menschen grundlegend *widersprechen*. Erwartung und Erfüllung verlangen, daß die Exegese nichts lehrt, was dem Glaubensbewußtsein und der lebendigen Tradition so widerspricht wie die Thesen, Jesus habe nicht immer göttliches Selbstbewußtsein gehabt, er habe sich hinsichtlich der Frage der Naherwartung geirrt und nicht daran gedacht, eine Kirche zu gründen. Die Arbeiten Loisys, die Blondel zufolge nur oberflächlich argumentieren und sich ihrer philosophischen Voraussetzung nicht bewußt seien, verfälschen nach dieser Vorstellung den christlichen Glauben grundlegend.

Durch die Angriffe Blondels gegen Loisy fühlte sich von Hügel aufgerufen, die Freiheit der historisch-kritischen Exegese und die gesicherten Ergebnisse dieser Forschung zu verteidigen. In einem umfangreichen Briefwechsel mit Blondel und in einem Aufsatz solidarisierte er sich vollständig mit Loisy und seinem Werk – ein sicher mutiger Akt, da sein Aufsatz erst nach der Indizierung von *L'Evangile et l'Eglise* erschien.

Für von Hügel stellte sich das Verhältnis zwischen gläubigem Bewußtsein und Dogma, Exegese und Idee, zwischen Phänomen und Noumenon wesentlich komplexer dar als für Blondel. Auch hier wandte er wieder das Bild von den *drei Schichten* an, das uns bereits in der Darstellung der Person und ihrem Werden begegnete: im Vordergrund steht das Individuum, der Mensch, der mit seinen Möglichkeiten und Erwartungen auf ein Mehr-Als, auf eine Bereicherung von außen orientiert ist. Die Erfüllung geschieht durch die mittlere Ebene, die historischen Ereignisse, die allein und ausschließlich der historischen Erkenntnis zugänglich sind. Im Hintergrund, in der Tiefe, im Bereich des Noumenon steht der Glaube, die persönliche Überzeugtheit, die Erfüllung all dessen, woraufhin der Mensch angelegt ist. Zwischen der Erwartung und der Erfüllung, dem frommen Bewußtsein und dem Glauben steht die Ebene der *historischen Wirklichkeit*. Während für Blondel gleichsam nur zwei Ebenen existierten, hielt von Hügel daran fest, daß die Ebene der historischen Ereignisse, der Phänomene unverzichtbar ist. Sie stellt zwar nicht das Letzte und Ganze des Glaubens dar, darf aber keinesfalls durch Glaube, Dogma und Tradition ersetzt werden. Es ist notwendig – so argumentiert er gegen Blondel –, daß man zwei »Wahrheiten anerkennt und immer praktiziert: die eine ist, daß das Vorläufige, das Phänomen nicht das Letzte ist; die andere, daß dieses Letzte das Vorläufige (das Phänomen) nicht unterdrücken oder ersetzen oder verfälschen kann oder darf. Im Kampf zwischen beiden, der nicht verstanden wird als das Ziel und das Letzte, aber doch als Mittel, das nicht aufhört, während unseres ganzen Lebens notwendig zu sein – nicht zwischen verschiedenen Gattungen, aber zwischen verschiedenen Stufen und Ebenen verschiedener Tiefe –, in diesem Kampf geschieht es zugegebenermaßen mitten in unserem Leben und in der Philosophie unseres Lebens, daß wir unsere Frische und unsere Bescheidenheit, unser volles Christsein der Seele und des Geistes erlangen und bewahren«[13].

Von Hügel wandte hier das Prinzip, das seine Anthropologie ihm geliefert hatte, nämlich das Prinzip der *Reibung* und *Spannung* und des *Konfliktes* zwischen den verschiedenen Ebenen, auf sein Verständnis der Exegese an. »Es ist eine Tatsache, daß der Mensch so sehr ein Wesen in fieri (im Werden) ist, daß er unabdingbar des Kampfes und der Reibung bedarf – Licht und Leben werden nur durch Dunkelheit und Schmerzen hindurch gewonnen«. In der Argumentation Blondels sah von Hügel – und das nicht ohne Grund – die Gefahr, daß »die historischen Urteile durch metaphysische Ur-

[13] Brief an M. Blondel, in: R. Marlé a.a.O. S. 118ff.

teile ersetzt werden«. Er forderte Blondel auf, an einer Metaphysik mitzuarbeiten, »*die durch die historischen und psychologischen Fakten hindurchgeht*; wir brauchen eine Metaphysik, *die all dies interpretiert und vertieft und die es nicht verneint, nicht vergewaltigt oder verfälscht*« (a.a.O.). Es gibt keinen Weg zur Tiefe der Wirklichkeit, zum Noumenon, zum Glauben als den über den Mittelgrund der *Phänomene* und ihre *historische* Erforschung.

Die Religion muß sich der Versuchung erwehren, allein nach der Wahrheit der Kirche zu glauben oder allein in subjektiver Wahrhaftigkeit zu forschen oder beide Seiten anzuerkennen, sie aber sorgfältig zu scheiden, also in der Schrift zu forschen und nach den Dogmen zu glauben. »Beschränke dich auf den Bereich der Phänomene und der Erscheinungen oder meine, du müßtest ihnen keine Bedeutung zumessen und könntest dich auf den Bereich des Noumenalen beschränken; oder glaube, du könntest sie beide annehmen, sie aber gleichsam isoliert und als unabhängig voneinander betrachten: und sofort machst du deine Seele unfruchtbar und läßt die Quellen ihres wahren Lebens vertrocknen. Nein, die immer vollkommenere Einigung unseres Selbst ist so billig nicht zu haben. Man muß den Kampf annehmen, man muß sich kreuzigen, und je schärfer der Kampf geworden ist, je schmerzlicher die Reibung, je schwieriger die Vereinheitlichung, um so umfassender und tiefer wird der Sieg sein« (CE S. 287). Die Einigung zwischen dem Glauben und der exegetischen Wissenschaft liegt nicht – wie Blondel meinte – in der Tradition, die Einigung geschehe vielmehr *im Kampf* selbst.

An dieser Stelle trug von Hügels mystischer Personalismus seine wichtigste Frucht: er ermöglichte es ihm, sowohl den *Glauben der Kirche* vorbehaltlos anzuerkennen als auch die Erkenntnisse der *historischen Kritik* zu akzeptieren: er sucht die Synthese nicht in bereits bestehenden Einigungen, in der Tradition oder in Dogmen, die Synthese selbst ist vielmehr immer erst zu erringen: sie ist als Ziel gegeben. Der Mensch hat beide Bereiche anzuerkennen, damit im Kampf beider das Individuum bereichert und geläutert wird. Die Synthese *ist* noch nicht, sie *wird*; sie ist nicht *gegeben*, sondern *aufgegeben*. Person wird allein durch diesen Kampf, der bis in den Bereich der intellektuellen Arbeit hineinreicht: das Kreuz ist mitten in unserem Intellekt aufgerichtet. Reibung und Schwierigkeit zur Synthese sind Voraussetzungen eines jeden Fortschritts des Menschen auf seinem Weg zur Person. »Wenn sie keinen Widerstand zu überwinden hätte, bliebe eine Lokomotive unbewegt und, auch wenn es paradox erscheinen mag, gerade dieser Widerstand ist die notwendige Voraussetzung der Bewegung. Ein Geschoß ließe sich im luftleeren Raum nicht beschleunigen; es bedarf einer Atmosphäre, die es trägt und die Widerstand leistet, und ebenso könnte das Meer die Schiffe nicht tragen, wenn es ihre Bewegung nicht hindern würde. Ebenso ist es mit unserer Begegnung mit der Umwelt und mit unseren Mitmenschen. Jede Aktivität setzt eine vorhergehende Schwierigkeit voraus, einen Zusammenstoß. Jeder Fortschritt ist ein Sieg« (CE S. 287f). Der Ansatz bei der Person als einer fortdauernd sich verwirklichenden Realität, die als Einheit in Vielfalt verstanden wird, ermöglichte es von Hügel, einerseits die scheinbar umstürzendsten Ergebnisse der Exegese zu vertreten, andererseits aber auch den Glauben der Kirche ohne Abstriche voll und ganz zu akzeptieren, ohne daß er beide Bereiche voneinander getrennt hätte.

In seinem Freundeskreis stiftete der Baron durch diese Kombination oft Unsicherheit und Verwirrung. Blondel fand sich mit von Hügel nicht mehr zurecht und urteilte: »Wir sollten den guten Baron sehr lieben, denn er verdient es wirklich; aber wir sind überzeugt, daß er irrt, daß er Christus mißversteht, daß er den Glauben in Gefahr bringt.« Der bekannte französische Theologe Henri Bremond, der mit von Hügel teilweise eng zusammenarbeitete, urteilte über ihn: »Er ist von einer merkwürdigen, vollkommenen Ruhe, wenn er die Kühnheiten seines biblischen Systems darlegt«.[14] Und George Tyrrell, wohl der engste Freund und Vertraute von Hügels, teilte Bremond mit: »Der Baron ist gekommen und wieder gegangen, und wie üblich ließ er mich mit mehr Stoff zum Nachdenken zurück, als ich verdauen kann. Ich wünschte, er würde eine Liste aufstellen, nicht von dem, was er nicht glaubt, sondern von dem, was er glaubt« (HT S. 117).

[14] R. Marlé, a.a.O. S. 34; S. 250.

DIE FREUNDSCHAFT MIT GEORGE TYRRELL

In den selben Jahren, in denen Friedrich von Hügel den Winter in Rom verbrachte, gewann er in London, wo er im Sommer wohnte, immer mehr Einfluß. Er spielte eine führende Rolle in der *Synthetic Society*, einem ausgewählten Kreis anerkannter Theologen und Philosophen. Auch in der *London Society for the Study of Religion*, einer von ihm mitbegründeten Gesellschaft, wuchs sein Ansehen zusehends. Seine Schwerhörigkeit behinderte ihn allerdings so sehr, daß er keiner Diskussion mehr folgen konnte. Es wurde deshalb vereinbart, ihm die ausgearbeiteten Referate vor der Sitzung vorzulegen, damit er anschließend als erster sein Votum abgeben könne. Die Schwerhörigkeit scheint auch von Hügels äußere Erscheinung geprägt zu haben. Aufschlußreich ist hier der Bericht Wilfrid Wards, der über eine Versammlung der Synthetic Society an seine Frau schrieb: »Das Ereignis des Abends war von Hügels Rede. Irgend jemand muß ihm wohl gesagt haben, daß er zu ruhig und zu intellektuell sei. Die Folge war, daß er (diesmal) auf den Tisch hämmerte und trommelte und fortwährend schrie. Es war zu komisch. Er wandte sich ständig an imaginäre unwissende Theologen. Er bediente sich eines derben Dialekts – ›was zum Teufel‹ und ›ihr Burschen‹ usw. Zuerst war alles bestürzt. Seine Hinweise jedoch auf seine Hebräisch-Arbeiten und die Bedeutung dessen, was er sagte, sicherten ihm Gehör. Es war einfach zu komisch, als daß man es mit Worten beschreiben könnte.«[15]

In Kensington, einem Stadtteil Londons, war von Hügel als ein etwas nachlässig gekleideter Herr bekannt, der bei seinen Spaziergängen hochgestellten Persönlichkeiten seine Ansichten über exegetische, religionsphilosophische, kirchenpolitische, in späteren Jahren auch geistig-spirituelle Fragen entgegenschrie und nur ebenso gebrüllte Antworten verstehen konnte.

Eigenartig war auch die Rolle, die von Hügel bei der *Erziehung* seiner drei Töchter spielte. Er legte auf deren geistige und geistliche Ausbildung größtes Gewicht, wählte mit Sorgfalt die Erzieherinnen aus und kümmerte sich vor allem auch um die religiöse Bildung. Zweimal jährlich mußten die Töchter vor ihrem gestrengen Vater schriftliche Prüfungen ablegen; die immer recht mäßig ausgefallenen Noten vermerkte der Baron sorgfältig in seinem Tagebuch. Seine Freunde amüsierten sich offenbar darüber und gaben ihm zu verstehen, daß er viel zu streng zensiere: die Prüfungen seien »wesentlich anspruchsvoller als die an Public Schools oder sogar an Universitäten« (SL S. 66f).

In zunehmendem Maße nahm von Hügel in die Ausbildung auch die Fragen mit hinein, die ihn selbst am meisten beschäftigten: die Probleme der Exegese und der Religionsphilosophie. Seine älteste Tochter *Gertrud* stand ihm da am nächsten. Nach von Hügels Vorstellung sollte sie einmal seine Mitarbeiterin werden. Die damals 21jährige Gertrud wurde aber offensichtlich mit den radikalen Ansichten ihres Vaters in der historischen Kritik nicht fertig; sie geriet vielmehr in eine ernste *religiöse Krise*. Der Baron mußte feststellen, daß seine Tochter »nicht nur den Glauben an die Kirche und auch an das grundlegende christliche Dogma, sondern (was sicher

[15] *M. Ward*, The Wilfrid Wards and the Transition, London 1934, S. 359f.

eine weitergehende und schwererwiegende Sache ist) das wahre Bewußtsein der Geschöpflichkeit verloren« hatte (HT S. 22). Im Oktober 1887 wandte er sich an den Jesuiten *George Tyrrell* und bat ihn, mit seiner Tochter ein Gespräch zu führen und sich ihrer Probleme anzunehmen.

Tyrrell konnte dem Baron bald berichten, worin er die Glaubensschwierigkeiten Gertruds begründet sehe: »In Ihrer Begeisterung und in Ihrer intensiven Beschäftigung mit allem, was den katholischen Glauben und die Frage nach der Wahrheit betrifft, und in Ihrem natürlichen Wunsch, Ihre Tochter zu einem Partner Ihrer Ansichten und Hoffnungen zu machen, scheinen Sie in Ihrer Liebe der Tatsache gegenüber blind geworden zu sein, daß Ihre Gertrud eine ganze Reihe von Jahren jünger ist als Sie ... Mit einem Wort: Sie übersehen die Warnung des heiligen Paulus, man dürfe Kindern nicht die kräftige Nahrung von Erwachsenen geben. Der Erfolg ist Magenverstimmung.« Er gab dem Baron den Rat: »Wenn Sie Ihrer Tochter verbunden bleiben wollen, müssen Sie Ihre Schritte verkürzen und langsamer gehen, sonst kommt sie außer Atem und wird den Wunsch verlieren, sich an Sie zu halten« (HT S. 16f).

Mit diesem Briefwechsel begann eine Freundschaft, die für von Hügel wie für Tyrrell lebensbestimmend wurde. Tyrrell, 1861 in Dublin geboren, war neun Jahre jünger. 1897 konvertierte er zur katholischen Kirche und trat bereits zwei Jahre später in den Jesuitenorden ein. Mit der offiziellen Theologie der Gesellschaft Jesu kam er jedoch bald in Konflikt: als Professor für Moraltheologie versuchte er, die Neuscholastik mit der Entwicklungslehre Newmans zu verbinden. Er wurde abberufen und wegen seiner brillanten Formulierungskunst zum Redakteur an der Jesuitenzeitschrift *The Month* bestellt. In dieser Stellung lernte ihn von Hügel kennen.

In Tyrrells Theologie trat in zunehmendem Maße die persönliche *Frömmigkeit* in den Mittelpunkt des Denkens. Zentrum seiner Anschauung war die *religiöse Erfahrung:* um dieser Erfahrung willen ist die Kirche mit allen ihren Einrichtungen da: sie hat lediglich die Aufgabe, persönliche religiöse Erfahrung zu ermöglichen und der Frömmigkeit zu dienen. Sie darf kein amtliches theologisches System autoritativ vorlegen. In der persönlichen inneren Erfahrung geschieht *Offenbarung:* Gott offenbart sich in der prophetischen Bildrede. Die *Dogmen* sind nach Tyrrell der immer unvollkommene Versuch, diese Selbsterschließung Gottes in aussagbaren Sätzen festzuhalten und sie somit übertragbar zu machen. Tatsächlich haben sie nach der Ansicht Tyrrells ihren Sinn darin, daß sie auf Erfahrungen beruhen und so interpretiert werden, daß sie Erfahrungen vermitteln und wiederum eröffnen. Die persönliche Erfahrung als Ursprung und als Ziel aller dogmatischen Formulierungen muß *hermeneutischer Ansatz* für die Dogmeninterpretation werden. Die Dogmen müssen danach befragt werden, welche religiöse Erfahrung sich in ihnen niedergeschlagen hat: sie dienen dazu, diese wieder möglich zu machen. Verbindlich an ihnen ist nicht das theologische System, in dem sie stehen, nicht ihre historische Gestalt, auch nicht ihre kirchenamtliche Formulierung, sondern allein ihre Bedeutung für die Frömmigkeit. *Konstant* ist ihre Beziehung zur *Glaubenserfahrung*, alles andere ist variabel. Die Erfahrung muß zur Norm für die Frömmigkeit und zum Korrektiv für Kirche, Theologie und Dogma werden.

Dieser theologische Ansatz Tyrrells führte zu einer Relativierung der *kirchlichen Strukturen*, vor allem des Amtes in der Kirche: Amt konnte nicht mehr als Selbstzweck gesehen werden, wie es in der neuscholastischen Theologie weithin geschah, es wurde vielmehr in seiner Funktion für den einzelnen betrachtet und von hier aus interpretiert. Der Gläubige wurde von Tyrrell nicht primär innerhalb des Ganzen der Kirche, innerhalb eines vorgegebenen Systems von Theologie oder kirchlicher Institution gesehen; Institution und Theologie wurden vom einzelnen und seiner Frömmigkeit her verstanden. Dadurch ergab sich eine unmittelbare Kritik an den vorgegebenen Strukturen. Tyrrell fragte nicht zuerst, ob ein Gläubiger mit dem Dogma und der kirchlichen Ordnung übereinstimmte; vielmehr wurden die Instanzen und die Glaubensformulierungen auf ihre spirituelle Fruchtbarkeit hin befragt und danach kritisiert.

Theologie bei der persönlichen Frömmigkeit und der Glaubenserfahrung, also bei der Mystik anzusetzen, war das Verbindende zwischen den beiden Männern: in der Bemühung, die Theologie für die Frömmigkeit fruchtbar zu machen. Insofern standen sie auf gemeinsamem Fundament. Erscheint im ersten brieflichen Austausch von Hügel noch ganz als der Fragende, der sich an den Jesuitenpater wandte und von diesem Rat und Beistand erbat, so sollte sich das Verhältnis zwischen beiden bald grundlegend ändern. Die Führungsrolle in dieser Freundschaft lag – wie Maude Petre urteilte – immer bei von Hügel.

Offenkundig wurde das erstmals, als von Hügel Tyrrell in die wissenschaftliche Exegese einführte und diesen damit in Probleme stürzte, von denen er bisher keine Ahnung gehabt hatte. Er veranlaßte ihn, *Deutsch* zu lernen, damit er die Werke der historisch-kritischen Wissenschaft und die Religionsphilosophie Rudolf Euckens lesen konnte. Tyrrell folgte diesem immer wieder ausgesprochenen Rat, und bald konnte er dem Baron berichten: »Ich habe tatsächlich begonnen, Deutsch zu lernen; aber oh weh! welch eine Sprache! Hebräisch scheint im Verhältnis dazu eine einfache Aufgabe zu sein.«[16]

Die exegetische Erkenntnis, die die Jahre der Modernismuskontroverse bestimmte und die von Hügel Tyrrell vermit-

[16] *M. D. Petre*, Autobiography and Life of George Tyrrell, Bd. 2 London 1912, S. 93.

telte, war die Entdeckung der *eschatologischen* Dimension im Leben Jesu: Danach rechnete der irdische Jesus, soweit die Quellen ein Urteil zulassen, mit dem unmittelbar bevorstehenden Anbruch des Reiches Gottes als dem Ende dieser Welt. Er dachte deshalb nicht daran, eine Kirche zu gründen, die die Jahrhunderte und Jahrtausende überdauern sollte. Diese Erkenntnis berührte sich unmittelbar mit Tyrrells Stellung zur Kirche und ihrer Autorität. Es zeigt sich, daß auch exegetisch die kirchlichen Autoritäten auf einem wesentlich schwächeren Fundament stünden, als sie selbst meinten; daß ihre Stellung im Ursprung der Kirche keineswegs die exklusive Macht- und Mittlerstellung begründen könne, die sie weithin beanspruchten. Durch von Hügel gelangte Tyrrell zu der Erkenntnis: »Als Historiker wissen wir jetzt, daß die Institution Kirche erheblich weniger direkt und vollständig auf unseren Herrn bezogen werden kann, als man normalerweise meint.« Damit wird auch die Frage nach den Ämtern der Kirche gestellt: »Historische Kritik hat zu der klaren Erkenntnis geführt, daß diese Kirchenorganisation und Amtsstruktur, außer in der sehr rudimentären, von den synoptischen Evangelien dargestellten Form ihrer ursprünglichen Wirksamkeit – einer Form so ähnlich der franziskanischen Brüdergemeinde zu Lebzeiten des Poverello – nicht die direkte und gewollte Stiftung unseres gepriesenen Herrn selbst sind« (EA II S. 11, 18). Die Erkenntnis, daß die kirchlichen Autoritäten keineswegs die sichere und unerschütterliche Grundlage in der Schrift hätten, die sie beanspruchten, daß sie aber gleichzeitig verhinderten, daß diese Erkenntnis der Exegese in der Öffentlichkeit ausgesprochen würde, führte Tyrrell in eine zunehmend *kirchenkritische* Haltung. Er kämpfte dabei nicht – wie Loisy und auch von Hügel – zuerst um die Freiheit der *Exegese*, sondern um die Freiheit des *Christen* von einer sich in absoluter und exklusiver Mittlerstellung verstehenden kirchlichen Obrigkeit.

Die Jahre der Freundschaft zwischen von Hügel und Tyrrell waren geprägt durch die gemeinsamen Studien zur Erforschung der Mystik. Ein Jahr, nachdem von Hügel den Kontakt mit Tyrrell aufgenommen hatte, erschien 1898 sein Aufsatz über die heilige Katharina Fiesca Adorna, die Heilige Genuas. Im Zentrum dieses Aufsatzes stand die Darlegung der Möglichkeiten und Gefahren der Mystik. In einem Postskript heißt es, dieser Aufsatz gebe »nur die Grundzüge eines kleinen Büchleins wieder, das ich für die Veröffentlichung im Frühjahr 1899 vorbereite.«[17] Aus diesem »kleinen Büchlein« wurde von Hügels fast tausendseitiges zweibändiges Lebenswerk, eine Studie über »The Mystical Element of Religion as Studied in Saint Catherine of Genoa and Her Friends«. Dieses Buch erschien 1908 mit beinahe zehnjähriger Verspätung, ein Jahr vor Tyrrells plötzlichem Tod. In den zehn Jahren, in denen von Hügel an diesem Werk arbeitete und die als seine zentralen und vielleicht wichtigsten Lebensjahre angesehen werden können, war Tyrrell sein engster Freund. Er verfolgte das Entstehen der Abhandlung nicht nur bis in die Einzelheiten, er arbeitete auch an einer Reihe von Passagen mit, versuchte die gröbsten Germanismen zu tilgen und so dem Ganzen eine gefälligere sprachliche Gestalt zu geben. Als das Buch erschien, wagte von Hügel nicht mehr, seine Verpflichtung und seine Dankbarkeit gegen Tyrrell im Vorwort öffentlich zu bezeugen. Denn inzwischen war die Kontroverse um den Modernismus auf ihrem Höhepunkt angelangt, und Tyrrell, der neben Loisy als der Hauptvertreter des Modernismus galt, war, wie noch darzustellen sein wird, seiner priesterlichen Ämter enthoben und vom Sakramentenempfang ausgeschlossen worden.

[17] Caterina Fiesca Adorna, the Saint of Genoa 1447–1510, in: The Hampstead Annual, London 1898, S. 85.

DIE RELIGION UND IHRE ELEMENTE

Von Hügel ging es in seinem Lebenswerk darum, die Stellung der Mystik im Ganzen der Religion und die Bedeutung der Erfahrung für die Religion darzulegen. Religion, vor allem das Christentum als die Religion der Person, ist notwendigerweise eine *Einheit in Vielfalt*. Diese Vielfalt der Elemente und ihr die Einheit konstituierendes Verhältnis untereinander zu beschreiben, war von Hügels zentrales Anliegen: nur von daher werden sein Leben, sein Wirken und seine Theologie verständlich. Hier wird aber auch sichtbar, wo sich von Hügel und Tyrrell theologisch begegneten und wo die Grenzen ihrer Übereinstimmung liegen.

Die mystische Theologie stand um die Jahrhundertwende weithin unter dem Einfluß der *religionspsychologischen* Forschung, die die Religion als Religiosität untersuchte, der aber der religiöse Inhalt verschlossen blieb. Auch von Hügel setzte bei der Religionspsychologie an und ging von der Untersuchung der menschlichen Erfahrung aus. Im Gegensatz aber zu William James hielt er Religion nicht für erklärbar, wenn sie nur psychologisch als *innermenschliches* Phänomen verstanden werde und nicht auch berücksichtige, daß ein Fremdes von außen auf den Menschen zukommt und ihn in Anspruch nimmt. Die Beweisführung, die von Hügel hier wählte, stammt aus der Entwicklungspsychologie.

Nach der Hügelschen Erkenntnislehre beginnt jede Erkenntnis mit einem *Sinneseindruck*. Die Sinne vermitteln eine fremde, dem Menschen entgegenstehende Wirklichkeit. Dies zeigt die Entwicklungspsychologie: das Kind erfährt zuerst nicht sich selbst, sondern eine ihm gegenübertretende Ding-Welt. Es erlebt ein Bild, ein Symbol, eine Handlung, und diese Eindrücke werden durch Menschen, die Eltern, die Lehrer, also wiederum von außen interpretiert. Diese Personen sind dabei unbefragte *Autoritäten.* Auf diese Weise ist auch die Religion des Kindes geprägt: sie erscheint als ein Ding, das von außen auf den Menschen zukommt. Sie zeigt sich in Bildern, Handlungen, Symbolen, die durch Autoritäten erklärt werden. Religion tritt von außen auf den Menschen zu.

Im Werden des Menschen wird diese Form der Erkenntnis abgelöst durch ein Denken, in dem *Frage* und *Argument* im Zentrum stehen. Der junge Mensch spürt, daß Sinneswahrnehmungen nicht immer zuverlässig sind. Er stellt seine Fragen zuerst an die Autoritäten, später werden auch diese hinterfragt. Jetzt gilt nicht mehr die Autorität, sondern das Argument, die persönliche Einsicht. Diese Erkenntnisweise ist dem jungen Menschen angemessen, dem die Fülle der Einzelerscheinungen zu einem Gedanken, einem System, einer Philosophie werden. So ist auch die Religion des jungen Menschen geprägt durch das Argument, das System. Der Verweis auf die Autorität von Menschen oder auch der Schrift kann nicht mehr genügen. Die eigene Überzeugung muß die unbefragte traditionelle Übernahme, die persönliche Entscheidung muß den Glaubensgehorsam ablösen.

Das Ziel jeder Erkenntnis liegt in der *Tat*, die durch die Sinneseindrücke und die abstrahierende Vernunft hindurch erreicht wird. Auf dieser Stufe wird der Mensch erwachsen, wenn sein Denken durch die Tat und die unmittelbare Empfindung, die Erfahrung geprägt wird. Dem entspricht eine Form der Religion, die den *Gefühls*- und *Willenskräften* korrespondiert: sie ist ihre erfahrungsmäßige, die mystische Seite. »Religion wird hier mehr gefühlt als gesehen oder gedacht, mehr geliebt und gelebt als analysiert, hier ist sie mehr Tat und Macht als äußere Sache oder verstandesmäßige Bewahrheitung« (ME I S. 53).

Die hier aufgezeigten Formen des religiösen Lebens sind Stationen auf dem Weg der Personwerdung. Sie können nicht räumlich voneinander getrennt werden: jede der drei Stufen verlangt wenigstens ein Minimum der beiden anderen Formen der Verwirklichung. Schon im Kind ist keine religiöse Erkenntnis möglich, wenn nicht zur Anregung von außen auch eine subjektive, vereinheitlichende Kraft tritt und gleichzeitig eine Regung des Willens ausgelöst wird. Ebenso bedarf die rationale Durchdringung der Religion des Anstoßes von außen, also der Sinneseindrücke, und muß von einer affektiven Haltung zu ihrem Gegenstand begleitet werden. In verstärktem Maße gilt dies für die mystische, erfahrungsmäßige Form der Religion: sie braucht die beständige Anregung von außen durch die Sinne und die abstrahierende, reinigende Kraft des Verstandes, wenn sie nicht in Selbsttäuschung aufgehen will. Die drei Formen der Religion sind somit als *Schwerpunkte* zu verstehen: jede bedarf einer gewissen Verwirklichung auch der anderen Weisen von Religion.

Mit Hilfe der Entwicklungspsychologie zeigte von Hügel, daß die vorgestellten verschiedenen Formen der Religion auf voneinander unterschiedenen Grundgegebenheiten des Menschen beruhen. Die *Übergänge* von einer Stufe zur nächsten bergen in jedem Falle *Gefahren* der Vereinseitigung: der Mensch wird immer versucht sein, seine bisherige Form der Religiosität beizubehalten. Kann sich das Neue durchsetzen, geschieht dies auf Kosten der früheren Ausprägung. Von Hügel folgerte aus diesen Erscheinungen, daß in der Religion verschiedene *Elemente* zusammenwirken, die untereinander in *Kampf* und *Spannung* stehen, die sich gegenseitig unterdrükken wollen. Die Krisen des Übergangs erklären sich dadurch, daß Religion kein in sich einheitliches und ungeschiedenes Ganzes ist, daß sie vielmehr eine Vielfalt verschiedener Elemente darstellt, die sich erst in Reibung und Spannung zu einer Einheit gestalten. Den Formen der Religion, die von Hügel aus der Entwicklung des Menschen erhob, entspricht in der Religion als ganzer jeweils ein Element. Diese Elemente werden als das historisch-institutionelle, das wissenschaftliche und das mystische Element der Religion bezeichnet.

Religion tritt von außen an den Menschen heran: sie wird verkündet durch Menschen, sie ist in Geschichte verwirklicht. Vor allem werden dieses Außen und diese Vorgegebenheit in der Gestalt des Stifters einer jeden Religion deutlich: die Symbole und Zeichen, die heiligen Zeiten und Bereiche führen sich auf einen Gründer zurück, von dem sie ihren Ausgang herleiten. Dieser verpflichtende, dem Menschen vorgegebene Ursprung muß in der Tradition immer mit Vollmacht dargelegt und verkündet werden. Jede Religion bedarf darum des Trägers einer Autorität und der Gemeinschaft derer, die in Gehorsam diese Vermittlung annehmen und der Lehre gehorchen. Diese Wirklichkeit sah von Hügel durch das *historisch-institutionelle Element* der Religion gewährleistet: jede Religion ist bestimmt durch ihre Eingebundenheit in die Geschichte und die in der Tradition erfolgende autoritative Vermittlung der Geschichte durch den besonders Bevollmächtigten, der den Ursprung unverfälscht zu bewahren hat: den Priester. Der *Priester* ist Repräsentant dieses historisch-institutionellen Elements der Religion.

Der menschlichen Fähigkeit zu argumentieren und kritisch zu prüfen, die Tradition und die Autoritäten zu hinterfragen, entspricht in der Religion das *wissenschaftliche Element*. Die Fülle der von außen überkommenen Eindrücke und Verlautbarungen bekommt hier Gestalt und Struktur. Religion wird ein Ganzes, ein System, das auf Einzelergebnissen beruht, die nicht mehr nur im Gehorsam hingenommen, sondern kritisch geprüft werden. Dieses wissenschaftliche Element tritt ebenso wie das historisch-institutionelle Element in zweifacher Gestalt auf: als Systembildung führt es zur *systematischen Theologie*, als kritische Einzelanalyse zur *Exegese* und zur *Kirchengeschichte*. Repräsentant dieses Elements ist der *Professor*, der eine unverzichtbare Aufgabe für die Religion und um der Religion willen zu erfüllen hat.

Der menschlichen Fähigkeit einer direkten Erfahrung und unmittelbaren Einfühlung und einer willentlichen Orientierung entspricht im Bereich der Religion das *mystische Element*. Mystik bedeutet in diesem Zusammenhang allein die Unmittelbarkeit der Erfahrung, ein Gespür für die Unendlichkeit, das jeder historischen Verkündigung und jeder wissenschaftlichen Erörterung vorausgeht. Sie bezieht sich nicht auf besondere, einmalige Höchstformen oder auf außergewöhnliche Ereignisse. Sie ist nicht mit unerklärlichen Zeichen und Wundern, mit Visionen und Auditionen verbunden. Mystik ist vielmehr die grundsätzlich jedem Menschen mögliche und nötige Erfahrung von Welt und einem Mehr-Als, das die Welt übersteigt. Diese Erfahrung umschließt eine Tiefendimension der Wirklichkeit, sie vollzieht sich durch die Welt, nicht neben ihr oder an ihr vorüber. Repräsentant dieser Form der Religion ist der *Prophet*, der aus der unmittelbaren, d. h. nicht durch die Institution oder durch die wissenschaftliche Forschung vermittelten Gotteserfahrung spricht.

FEHLFORMEN DER RELIGION

Von Hügel hat aufgezeigt, daß der *Übergang* von einem Element zu einem anderen immer nur unter *Schmerzen* und Schwierigkeiten vonstatten gehen kann. Ebenso ist es mit den Elementen der Religion als ganzer, die im Verhältnis von *Reibung*, *Spannung* und *Konflikt* zueinander stehen. Jedes der drei Elemente will die beiden anderen unterdrücken, deren Platz einnehmen, und so entstehen Reibungen. Erweist sich die Vereinnahmung als unmöglich, versucht es sich von den anderen zu trennen; dabei wird der Abstand zwischen den Elementen zu groß, und es entstehen Spannungen. Das Verhältnis der Elemente zueinander ist unaufhörlich durch das Gesetz der Reibung, der Spannung und des daraus entstehenden Konfliktes bestimmt.

Jedes Element hat die Tendenz, sich *absolut* zu setzen. So will das historisch-institutionelle Element die Verpflichtung auf den Stifter, den Ursprung, die Tradition, das Immer-Gewesene festhalten. Wer in der Religion sein Leben gefunden hat – so scheint es hier – will sich allein auf dieses Leben konzentrieren; alle anderen Aktivitäten und Lebensbereiche müssen dabei aushungern. Religion ist nach diesem Verständnis die gehorsame Übernahme eines in der Vergangenheit ein für allemal Festgelegten und durch die amtliche Autorität heute Vermittelten; die Tradition wird gegen jede Neuerung verteidigt.

Es ist im Wesen der Institution begründet, daß sie die beiden anderen Elemente, die Wissenschaft und die religiöse Erfahrung, überlagern will: eine amtliche Theologie soll mit der Autorität der Offenbarung umgeben werden. Theologie wird nach dieser Vorstellung allein im Auftrag und in der Delegation durch die Institution betrieben, der Professor vollzieht seine Aufgabe aus der ihm durch die Institution zugeteilten Vollmacht. Er hat dabei immer von der Vergangenheit, der Tradition, vom Ganzen her zu argumentieren. Jede Gegenwart erscheint als die fortgesetzte Vergangenheit oder als Abfall von der Tradition. Jede Einzelaussage muß als Sonderfall des allgemeinen Gesetzes verstanden werden. In dieser Sicht ist es allein die Aufgabe der Theologie, das vorgegebene System zu rechtfertigen. Kritische Anfragen der Wissenschaft an die kirchliche Praxis sind von vornherein ausgeschlossen.

Die Möglichkeiten, daß die Institution das Element der Theologie mitübernimmt, sind nun allerdings begrenzt, denn die Geschichte ist nun einmal – wie von Hügel schrieb – »*das* Kreuz einer jeden institutionellen Religion und ganz besonders einer so zutiefst historischen, wie es die römisch-katholische Kirche ist« (EL S. 342). Es ist darum unausweichlich, daß die Theologie, in erster Linie die historische Forschung, zu Ergebnissen kommt, welche die Institution nicht stützen, sondern zu ihr in Spannung stehen, und nicht erbringen, was die amtliche Seite verlangt. Hier urteilt die Institution, daß die Wissenschaft noch nicht zu ihrem eigentlichen und letzten Ziel gekommen ist. Dieses rechte Ziel ist jeweils das, was die Institution »immer schon« vertreten und gewußt hat. Bleibt die Wissenschaft bei ihren eigenen Methoden und Ergebnissen, wirft ihr die Institution vor, sie argumentiere individualistisch und rationalistisch, sie verachte das kirchliche Lehramt und habe darum in der Kirche und der »rechten« Theologie keinen Platz. »Wissenschaft muß vorsichtig mit Scheuklappen betrachtet werden« (SL S. 94). Ist es der Institution nicht möglich, die Wissenschaft in eigener Regie zu übernehmen, also amtlich verordnete Wissenschaft betreiben zu lassen, wird sie bestrebt sein, die Wissenschaft als dem Glauben widerstreitend auszuscheiden.

Ähnlich zeigt sich auch das Verhältnis der Institution zur Mystik. Eine von unten aufbrechende Frömmigkeitsbewegung »erscheint allzu leicht einer Revolution ähnlich«. Zuerst wird die Institution wiederum versuchen, den Frömmigkeitsbereich zu überlagern, also die Strukturen der kirchlichen Vermittlung zum Inhalt der Frömmigkeit zu erheben. Dabei werden die kirchlichen Formen mit dem Glanz des religiösen Gegenstandes umgeben und als solche verehrt. So kommt es zu einer Kirchenmystik, die die Gestalt der Übermittlung der Tradition, also Amt, Gehorsam, Riten, Symbole nicht in ihrer instrumentalen Bedeutung beläßt, sondern als in sich stehende Gegenstände der Verehrung ansieht.

Läßt sich diese religiöse Erfahrung von der Institution nicht vereinnahmen, sperrt sich ein religiöser Aufbruch dagegen, von der Institution, wie es heißt, in »rechte Bahnen gelenkt« und geordnet zu werden, dann wird dies als Auflehnung gegen die Institution verstanden und als solche unterdrückt. Der Modernismus war zu einem guten Teil ein Aufbruch des religiösen Geistes. Daß dabei die Unmittelbarkeit der Erfahrung, die jeder institutionellen Vermittlung vorausgeht und nicht aus der Institution abgeleitet werden kann, betont wurde, war eine der Ursachen für die kirchenamtliche Verurteilung.

Gelingt es dem historisch-institutionellen Element, sich weitgehend zu verselbständigen und die beiden anderen Elemente auszuschalten, »dann wird es unvermeidlich zum Aberglauben entarten, zu einer erdrückenden Verdinglichung, zu einer gefährlichen, beinahe vollständigen Absolutsetzung ganz nebensächlicher und vorübergehender Ausdrucksformen der Religion ... Hier kommt es zu einer Vorherrschaft politischer, rechtlicher, und physischer Gewalt, erzwingbarer Begriffe und Verhaltensweisen« im Gegensatz zur »geistigen Redlichkeit und Rechtschaffenheit und der Freiheit der Kinder Gottes. Wir kommen so zu einem zu großen Übergewicht des ›Objektiven‹, von Gesetz und Dinglichkeit, gegenüber der Überzeugung und der Person, des Priesters gegenüber dem Propheten, der Bewegung von außen nach innen über die von innen nach außen« (ME II S. 387f).

In diesen scharfen Formulierungen wandte sich von Hügel nicht gegen das Recht und die unabdingbare Notwendigkeit der Institution, sondern lediglich gegen deren *Vereinseitigung* und *Absolutsetzung*. Das wissenschaftliche und das mystische Element sind nicht in geringerer Gefahr der Isolierung, sie vermögen sogar durch eine Vereinseitigung die Religion noch mehr zu entstellen als dies eine Absolutsetzung des historischen und institutionellen Bereiches tut, auch wenn sie nach außen hin nicht so bedrückend wirken können, weil ihnen die Erzwingbarkeit fehlt.

Die beiden Formen des wissenschaftlichen Elements, die systematische und die exegetisch-historische Theologie, haben ebenfalls ihre speziellen Gefahren und Vereinseitigungen. Die Dogmatik entwickelt sich auf ein Denken hin, das ob des Strebens nach Klarheit, Allgemeingültigkeit und Gesetzmäßigkeit den Kontakt mit der Wirklichkeit preisgibt. Hier wird eine Theologie entwickelt, innerhalb derer alles ›stimmt‹, die aber außerhalb ihrer eigenen Grenzen nichts mehr zu sagen hat und keine Fragen mehr beantworten kann. Gemäß dieser Art der Wissenschaft, auf die die Neuscholastik tendierte, »erscheint der Seele alles zweifellos klar und einfach; aber dann ist dieses ›alles‹ lediglich das bescheidenste Schaumkrönchen auf der Oberfläche der mächtigen Tiefe der lebendigen, umfassenden Religion, ein kleinliches, künstliches Gebilde, das der menschliche Geist hier und dort leicht zu einem Ganzen zusammenrücken kann, oder sogar lediglich eine direkte Hypostasierung der ihm eigenen Kategorien« (ME II S. 389).

Diese Form der Theologie *verbindet* sich oft mit dem institutionellen Element; in beiden Bereichen wird jeweils vom Ganzen her gedacht und argumentiert: das System bestimmt in dieser ›offiziellen‹ Theologie über die Wahrheit einer wissenschaftlichen Aussage, ebenso wie in der Institution der einzelne allein als Glied am Ganzen in den Blick kommt. Damit wendet sich diese amtliche Theologie besonders gegen die historische Forschung an den Quellen der Offenbarung. »Seit der Renaissance ist eine vollkommene Wahrhaftigkeit angesichts der neuen Forderungen der Geschichtswissenschaft und gegenüber einem lebendigen Interesse an Gegenständen, die nicht direkt religiöse Bedeutung haben, die – wie ich glaube – weitaus schwierigste aller Tugenden für den normalen institutionell-religiösen Menschen« (EA I S. 288).

In dem 1908 erschienenen Hauptwerk von Hügels »The Mystical Element of Religion« findet man noch kaum Hinweise auf die Gefahren einer sich verselbständigenden exegetisch-historischen Wissenschaft. In den Jahren, in denen um die Bedeutung dieser Form der Erkenntnis für die Theologie erst gekämpft wurde und deren Neuansätze weithin unterdrückt wurden, war die Stunde noch nicht gekommen, über die möglichen Vereinseitigungen der Wissenschaft nachzudenken, der die Anerkennung noch weithin versagt war. Unter dem Eindruck der Entwicklung Loisys kam von Hügel jedoch später dazu, auch den *Mißbrauch* dieser Art der Wissenschaft darzustellen: So schrieb er in einem Vergleich der Repräsentanten der Elemente der Religion: »Wenn wir einen von diesen ganz allein und in ganz reiner Ausprägung nehmen müßten, dann wäre der Professor sicherlich der am wenigsten erträgliche. Er wäre es insofern, als er die Menschen dazu gebracht hat, vor lauter Bäumen den Wald zu übersehen, und weil er sie veranlaßte, unter dem Begriff

›Priester‹ Inquisitoren und Aberglaubenkrämer, sich überall einmischende alte Weiber und ignorante Dogmatisierer zu sehen« (RG S. 144). Sicher ist damit keine Absage an die Wissenschaft oder an die historische und kritische Forschung intendiert. Sehr wohl aber hat die theologische Forschung – dies will von Hügel deutlich machen – in sich die Tendenz, sich zu verselbständigen, das institutionelle Element als magisch-abergläubisch, das mystische als irrationale Gefühlsseligkeit abzuqualifizieren und dadurch sowohl das Kommen der Religion von außen als auch die Unmittelbarkeit der Erfahrung zu verdrängen.

Spezielle Gefahren der Vereinseitigung birgt auch das mystische Element. Es ist vor allem versucht, »das äußere Element als drückenden Ballast und das intellektuelle als Haarspalterei oder als Rationalismus beiseitezuwischen. Wenn es dabei Erfolg hat, wird eine wetterwendische Subjektivität und eine beinahe unheilbare Willkürherrschaft der Stimmungen und der Launen das Ergebnis sein – dann steht der Fanatismus vor der Tür« (ME I S. 55).

Von besonderer Bedeutung ist dabei die Tendenz der Mystik, in ungestörter Gott-Unmittelbarkeit verbleiben zu wollen und die Anstöße von außen durch die Sinne, die Geschichte und die Institution als »die dunklen und engen Thermopylen« zu empfinden, die man möglichst schnell hinter sich lassen sollte, um »weite, sonnige Ebenen zu erreichen« (ME I S. 74). Die Beschäftigung mit der historisch einmaligen Gestalt Jesu und seiner Botschaft tritt hier in den Hintergrund. »Ein allgemeines, unbestimmtes Bewußtsein des Geistes und der Gegenwart Christi erscheint dem, der es erlangt hat, leicht als größer und weiter, als die offensichtliche Begrenzung von Herz und Geist, die seine Verehrung in bestimmten, fest gezeichneten biblischen Szenen mit sich bringt«. Das wörtlich festgelegte Gebet weicht einer rein geistigen Meditation. Die Sakramente als körperliche, äußere, institutionelle Zeichen werden als Beengung empfunden und abgelehnt. Mystik hat die Neigung, sich von der institutionellen Vermittlung zu trennen, die Erfahrung der Anwesenheit des Geistes Gottes über die eucharistische Gegenwart Christi, das allgemeine Bewußtsein der Sündhaftigkeit über die spezielle Reue tatsächlicher Verfehlungen zu stellen. Mystik steht in Gefahr, sich an die Versenkung in das eigene Ich zu verlieren und das Gegenüber Gottes als des »Ganz-Anderen« nicht mehr zu finden.

So ist festzuhalten, daß von Hügel die drei *Elemente* der Religion und ihre Untergliederungen als in ständigem, unaufhörlichem *Kampf* miteinander und gegeneinander sah. Jedes der Elemente ist nötig, muß zu möglichst großer Vollkommenheit und Fülle ausgestaltet werden, bedarf aber, auch um seiner selbst willen, der beständigen und unaufhörlichen Beeinflussung durch die anderen Elemente. In jedem Element liegt die Tendenz, sich zu vereinseitigen und dadurch die Religion zu verunstalten. Was das *Wesen* der Religion ausmacht, führt durch Vereinseitigung zu ihrem *Unwesen*.

Dabei wäre es keine Lösung, die einzelnen Elemente nur wenig zu entfalten, damit sie sich nicht der Vereinseitigung schuldig machen können. Dies würde bedeuten, daß Religion insgesamt schwach und farblos bliebe. Es gilt im Gegenteil, die Elemente zu einer möglichst *umfassenden Fülle* zu entwickeln, sie aber immer im *Gleichgewicht* der anderen, ebenfalls kräftig entfalteten Elemente zu halten. Religion ist so ein umfassendes System von miteinander konkurrierenden, sich gegenseitig verdrängenden, gerade in diesem Kampf aber auch entfaltenden und zur Fruchtbarkeit aufbauenden Kräften und Elementen.

So sind die Elemente aufeinander angewiesen: jedes der drei bedarf der beiden anderen, die es zuerst behindern, es aber gerade in der Reibung und Spannung, in diesem Konflikt immer weiterentwickeln und für die Balance der Kräfte sorgen. Die Elemente sind jedoch – dieser Gedanke ist für die Hügelsche Theologie entscheidend – nicht voneinander *ab-leitbar*. Ebenso wie im einzelnen Menschen jede Erkenntnis des Anstoßes durch die Sinne bedarf, die rationale Durchdringung und die gemütsmäßige Erfassung aber nicht einfach eine Funktion der sinnlichen Eindrücke sind, so ist es auch in der Religion: das wissenschaftliche Element ist von der Institution abhängig, insofern es von diesem mit seinen Materialien versorgt wird, es vollzieht aber seine Aufgabe nicht als Ausgliederung der Institution. Der Professor als Repräsentant der Wissenschaft leistet seine Arbeit nicht im Auftrag und aus der Delegation durch den Priester. Er braucht diesen ebenso wie dieser ihn. Beide aber, und gleiches gilt für den Propheten als den Repräsentanten des mystischen Elements, vollziehen ihre Aufgaben, die nicht aus dem Bereich eines der beiden anderen Repräsentanten abgeleitet werden können, selbständig und aus eigener Verantwortung. Priester, Prophet und Professor sind nebeneinander stehend Repräsentanten für jeweils *ein* Element der Religion, das für sich allein unvollkommen und ergänzungsbedürftig ist. Der Professor und der Prophet tun ihr Werk in ihrem Bereich ebenso gott-unmittelbar und aus Verantwortung gegenüber Gott und ihren Mitchristen wie der Priester in seinem Element.

Jeder Repräsentant eines Elements der Religion wird immer mehr oder weniger stark auch durch die beiden *anderen* Bereiche mit beeinflußt sein: von der von außen kommenden Offenbarung und Verfaßtheit der Kirche, der theologischen Lehre und der persönlichen Frömmigkeit. Es kann auch nicht ausgeschlossen werden, daß in einem Repräsentanten eines Elements gleichzeitig ein anderes in besonderer Weise zur Entfaltung gekommen ist. Die Hoffnung auf den papa angelico, die die Zeiten kirchlichen Umbruchs immer wieder bestimmt, ist die Sehnsucht nach dem Papst, der als Repräsentant der Kirche und mit der ihm eigenen Macht tiefe, unmittelbare Gotteserfahrung und zugleich Offenheit für die Erkenntnisse der Wissenschaft verbindet.

In der konkreten Religion aber wird jede Form der Verwirklichung immer bedingt einseitig sein und sein müssen, so daß sie zu ihrer Entwicklung und zur Harmonisierung aller anderen Weisen der Realisierung bedarf. Religion kann darum nur in einem sozialen Geflecht, einer *Kirche*, harmonisch entfaltet werden. *Einseitigkeiten* sind die Bedingung für spätere Balance und Harmonie. Sie müssen nicht nur geduldet, sondern sogar positiv gefördert werden, solange sie jeweils im Kontakt mit den anderen Elementen und ihren Realisierungsformen bleiben. Bedingung für die Zulassung von Einseitigkeiten ist lediglich, daß sie im Dialog mit denjenigen bleiben, die diese spezielle Form der Religion nicht verwirklicht haben. Um des Ausgleichs, mehr noch um der Entfaltung der verschiedenen Möglichkeiten willen gilt für von Hügel: »Wir werden einseitigen Entwicklungen gegenüber nicht nur sehr tolerant sein müssen, wir werden sie sogar positiv zu ermutigen haben, vorausgesetzt daß jede (dieser Entwicklungen) einen gewissen Kontakt mit den Elementen behält, von denen sie nicht weiß, wie sie sie in Fülle entfalten könnte, und daß sie sich selbst und ihre speziellen Fähigkeiten und Vorlieben lediglich als eine der vielen verschieden befähigten und begabten Mit-Dienerinnen im Reiche Gottes versteht und verwirklicht – als eine der zahllosen sich gegenseitig ergänzenden, für sich genommen immer unvollkommenen Teil-Verwirklichungen der vielseitigen Größe, der reichen Einheit der geistigen Menschheit, so wie Gott sie gewollt hat, betrachtet« (ME II S. 116).

DIE MODERNISMUSKONTROVERSE

In den Jahren der Freundschaft mit Tyrrell, in denen von Hügel seine Religionsphilosophie ausarbeitete, wurde seine und seiner Freunde kirchliche Lage immer schwieriger. Vor allem seit der Wahl *Papst Pius X.* im August 1903 und der Ernennung von *Merry del Val* zum Kardinalstaatssekretär trieben die Auseinandersetzungen unaufhaltsam einer Katastrophe entgegen.

Der Pontifikat Pius X. war durch eine fast ununterbrochene Kette von Indizierungen und Verurteilungen geprägt: 35 Schriften wurden bereits in den ersten vier Jahren dieser Regierung auf den Index gesetzt; bis zum Tode Pius X. im Jahre 1914 stieg die Zahl auf annähernd 150. Seit dem Jansenismusstreit hatte es keine derartige Flut kirchlicher Verurteilungen mehr gegeben. Es gab keinen Bereich der Wissenschaft und der Kultur, der nicht betroffen worden wäre. Nicht nur Kirchenhistoriker wie Batiffol, Bremond, Duchesne und Merkle, Exegeten wie Loisy, Philosophen wie Bergson und Laberthonnière, systematische Theologen wie Wilhelm Koch in Tübingen, sondern auch Dichter wie die Italiener Fogazzaro und d'Annunzio und der Belgier Maeterlinck und der Mathematiker und Philosoph Le Roy wurden verurteilt oder indiziert. In Rom wollte man offensichtlich dartun, daß die Kirche auch über nicht-theologische Themen Aufsicht beanspruchte.

Unbestraft blieb und offiziell belobigt wurde allein eine *überkonservative* Richtung. Als Sebastian Merkle auf den verstorbenen Hermann Schell die Totenrede hielt, kritisierte der Innsbrucker Theologe Ernst Commer diese Gedächtnisrede Satz für Satz. Er zählte in seiner Streitschrift »Schell und der fortschrittliche Katholizismus« 38 Häresien Schells auf und versuchte, diesen auch charakterlich zu diskreditieren, indem er ihm Hochmut und Stolz vorwarf. Pius X. dankte Commer in einem persönlichen Brief: Er habe sich »mit seiner Schrift über Schell um die Religion und ihre Lehre hochverdient gemacht und seinem Amte als Lehrer der Theologie trefflich entsprochen«[18].

Von weitreichender Bedeutung wurde die Geheimorganisation *Benignis,* der 1906–1911 als Unterstaatssekretär in der Kongregation für außerordentliche kirchliche Angelegenheiten wirkte. Er war einer der einflußreichsten Männer der römischen Kurie unter dem Pontifikat Papst Pius X. Als Chef der Nachrichtenorganisation *»La Sapiniere«* spielte er eine höchst zwielichtige Rolle. Er hatte ein internationales Spitzelsystem aufgebaut und damit Theologen, Bischöfe, Kardinäle und sogar den Papst einer lückenlosen geheimdienstlichen Überwachung unterzogen. Die extremste konservative Richtung identifizierte er vorbehaltlos mit dem wahren und dem einzig wahren Glauben[19].

In dieser Situation geriet auch von Hügel unter dringenden *Häresieverdacht*. Er versuchte zwar noch immer seinen Einfluß einzusetzen, um die weitere Verurteilung und Exkommunikation Loisys zu verhindern. Dem Kardinal Rampolla, der nun Präsident der Bibelkommission geworden war, berichtete er von den vielen Katholiken Englands, die in Loisy und seiner Kritik nicht eine *Gefahr* für den Glauben erkannt,

[18] *O. Schroeder*, Aufbruch und Mißverständnis. Zur Geschichte der reformkatholischen Bewegung, Graz–Wien–Köln 1969, S. 382f.

[19] Siehe dazu *É. Poulat*, Intégrisme et catholicisme intégral. Un réseau secret international antimoderniste: la »Sapinière« (1909–1921), Paris 1969.

sondern gerade wegen der wissenschaftlichen Redlichkeit, die offensichtlich auch in der katholischen Kirche Heimatrecht beanspruchen könne, Glaubenshilfe gewonnen hätten. Im Januar 1906 versuchte er über seine Frau, die eine Audienz bei Papst Pius X. hatte, an höchster Stelle nochmals Einfluß zu nehmen. Frau von Hügel wollte den Papst überzeugen, daß ihr Mann »aus dem Stoff ist, aus dem Gott Heilige macht«. Sie kritisierte gleichzeitig die Art und Weise, in der Loisy verfolgt worden war. Der Papst wies das Wort »verfolgt« zurück und entgegnete: »Loisy ist ein rechtschaffener Mann, nur etwas starrköpfig in manchen Ideen« (Mém II S. 463).

Unmittelbar vor der Entscheidung der Bibelkommission im Juni 1906, die die mosaische Autorschaft des Pentateuch in seiner Gesamtheit neu einschärfte, versuchte der Baron eine internationale *Solidaritätserklärung* mit Loisy zu erlangen. Er wollte aus England, Frankreich, Italien, Deutschland und sogar aus Rußland je sechs prominente Theologen finden, die sich mit Loisy für den Fall solidarisierten, daß diesem der neue *Syllabus*, ein Verzeichnis von »Irrlehren«, mit dessen Veröffentlichung man bereits allgemein rechnete, zur Unterschrift vorgelegt und Loisy daraufhin exkommuniziert werden sollte. Von Hügel bat dabei ausschließlich Laientheologen um Unterstützung. Antonio Fogazzaro, der Autor des indizierten Romans Il Santo, konnte in Italien sechs Unterschriften gewinnen, in Frankreich, wo sich Le Roy um Unterzeichner mühte, ließen sich nur vier Laien entsprechenden internationalen Rufs finden. In Deutschland erlangte er die Unterstützung des Freiburger Archäologen und Historikers Joseph Sauer. Doch ließen sich hier ebensowenig wie in England, Österreich oder Rußland sechs Unterzeichner gewinnen, so daß sich nun auch von den Italienern einige wieder zurückzogen. Als im Frühjahr 1907 schließlich zwölf Unterschriften zusammengekommen waren und der Baron die

Solidaritätsadresse drucken lassen wollte, hatte sich die Lage derartig zugespitzt, daß Loisy selbst den Initiator der Aktion bat, von der Publikation abzusehen: sie könne ihm nicht mehr nützen, den Unterzeichnern dagegen sehr schaden.

Für Tyrrell, der als Jesuit unter wesentlich strengerer Überwachung stand als Loisy und von Hügel, konnte der Baron nicht in dieser massiven Weise tätig werden. Hier boten sich nur das persönliche Gespräch, der Gedankenaustausch und die Anknüpfung vielfältiger Beziehungen an. In den Briefen zwischen von Hügel und Tyrrell wurde folglich immer wieder die Frage nach der Autorität in der Kirche, dem Recht und der Grenze der Unfehlbarkeit und der Verpflichtung zum Gehorsam besprochen.

Können die kirchlichen Autoritäten *blinden Gehorsam* verlangen? Können sie Entscheidungen treffen, die auch dann angenommen werden müssen, wenn sie offensichtlich gegen gesicherte wissenschaftliche Erkentnisse und gegen die persönliche Überzeugung verstoßen? Von Hügel vertrat die Auffassung, die kirchlichen Behörden könnten Gehorsam nur gegenüber solchen Akten und Entscheidungen verlangen, in denen sie sich auch selbst verpflichten und binden. Dagegen schien es ihm ausgeschlossen, einen Gehorsam für eine Form kirchlicher Entscheidungen zu fordern, die wie ein Orakel unkontrollierbare Vorstellungen allein unter Berufung auf eine formale Autorität bindend vorschreibt, sich selbst aber als über diesen Entscheidungen stehend betrachten will. Bedingungsloser und blinder Gehorsam könnten nicht das einzige und letzte Gesetz in der Kirche sein. Rom ist – wie von Hügel urteilte – von seinen Untergebenen ebenso abhängig, wie diese der Autorität Roms bedürfen: oberstes Gesetz in der Kirche ist eine Solidarität, die ein Hören von oben nach unten ebenso umschließt wie eine Einfühlung von unten nach oben. Höchstes Gesetz in der Kirche ist das Heil der Seelen, nicht der Codex iuris canonici. Im Pochen auf den

Gehorsam allein kann die Willensbildung in der Kirche nicht hinreichend umschrieben sein. Die kirchlichen Autoritäten haben das Recht, viele und sogar große Opfer zu verlangen, sie haben aber nicht das Recht, einfachhin alles und jedes zu fordern. »Es ist richtig, daß niemals ein wahrhaft blinder Gehorsam gegenüber irgend einer Autorität einer aufgeklärten (Kirchen-)Zugehörigkeit angemessen und eine solche Art der Zugehörigkeit das Ideal aller geistlichen Erziehung sein könnte« (EA I S. 14).

Letztlich gründet die Kirche selbst auf dem »Ungehorsam« Jesu gegenüber den geistlichen Autoritäten seiner Zeit. Die Forderung nach absolutem, blindem Gehorsam würde »unsern Herrn selbst zu einem bedauernswerten Rebellen stempeln; sie würde den heiligen Paulus in Antiochien als untragbar verdammen und viele große Heilige Gottes der Verurteilung unterwerfen« (Bar S. 5).

Die kirchenamtliche Praxis folgte um die Jahrhundertwende anderen Prinzipien: hier war die Berufung auf die Autorität der Amtsträger, die stete Forderung des blinden Gehorsams, den man besonders dann zu üben habe, wenn die eigene Einsicht in eine andere Richtung weise, grundlegendes Strukturprinzip. Tyrrell schrieb darüber voller Bitterkeit an von Hügel: »Ich habe fast den Eindruck, es wäre die beste Politik, diesem ›Autoritätsfieber‹ nicht zu widerstehen, sondern es anzustacheln: sie dazuzubringen, die Unfehlbarkeit einer jeden Kongregation, des Jesuitengenerals und eines jeden kleinen Monsignore in Rom zu erklären; zu definieren, daß die Erde eine flache Scheibe sei und auf Pfeilern ruhe und daß sich der Himmel wie eine Glocke darüber wölbe, kurz: sie mit dem Kopf gegen Steinmauern anrennen zu lassen in der Hoffnung, daß sie durch die Realitäten aufwachen. Die ›reductio ad absurdum‹ ist Gottes bevorzugtes Argument« (HT S. 129). Alle Versuche, die fragwürdigsten Legenden und fast abergläubischen Praktiken der Reliquienverehrung in Frage zu stellen, wurden mit den Argumenten zurückgewiesen: ›piis auribus offensiva‹ (Skandal für fromme Ohren) und ›scandalum pussilorum‹ (Skandal für die Kleinmütigen). Tyrrell fühlte dagegen die Verpflichtung, daß der Glaube nicht allein vor dem Ärgernis der Kleingläubigen geschützt werden müsse, der Skandal der gebildeten und starken Menschen sei heute nicht weniger gefährlich. Von Hügel gab ihm recht: »Leider, leider, der ›Skandal für fromme Ohren‹ hat durch seine Verurteilung einen Skandal für die offenen Augen heraufbeschworen« (HT S. 43). Tyrrell entgegnete bitter: einen blinden und unbedingten Gehorsam dürfe es nur Gott gegenüber geben; gegenüber Menschen sei er »götzendienerisch und unmoralisch«. Aber daß der Papst der liebe Gott sei, »hat nicht einmal Pius IX. definiert« (HT S. 149).

Die päpstliche *Unfehlbarkeit* könne nicht weiter reichen als die Unfehlbarkeit Jesu. Nachdem nun aber – wie von Hügel urteilte – Jesus jedenfalls in der historischen Frage der Naherwartung offensichtlich geirrt habe, seine Ausrichtung auf die Enderwartung aber religiös-spirituell unerschöpfliche Fruchtbarkeit entfaltet habe und in dieser Hinsicht als wahr bezeichnet werden könne, müsse sich auch das Lehramt der Kirche primär um die praktischen Fragen und um Hilfen für den Menschen auf dem Weg zur Person und zum Heiligen bemühen. Von Hügel forderte ein primär *pastorales* und weniger intellektualisiertes Lehramt, dessen Unfehlbarkeit hauptsächlich in einem »geistlichen Instinkt«, einer »religiösen und moralischen Ausrichtung, die dem Leben gegeben wird« (EA II S. 22), bestehe. Unfehlbarkeit beschreibt er als »eine Irrtumsfreiheit in der geistlichen Ausrichtung und ein Verbleiben in den Möglichkeiten und Regeln der geistlichen Entwicklung.«[20]

[20] L'Abate Loisy e il Problema dei Vangeli Sinottici, in: Il Rinnovamento 5 (1909) S. 413.

In dieser Situation der Zuspitzung, in der kirchenamtlich jede Neuerung mit allen nur denkbaren Mitteln des Zwangs und der Unterdrückung verhindert wurde, auf der Seite der »Neuerer« – vor allem bei Loisy und Tyrrell – eine Bitterkeit und Schroffheit in die Auseinandersetzung hineingetragen wurde, die keine Bereitschaft zur Versöhnung mehr erkennen ließ, mußte es zur katastrophalen Zuspitzung der Kontroverse kommen.

Am 29. April 1907 richtete der Präfekt der Indexkongregation, der deutsche *Kardinal Steinhuber*, einen Brief an den Erzbischof von Mailand über die dort erscheinende Zeitschrift *Il Rinnovamento*, in dem es heißt: Die Hochwürdigsten Väter »können sich aber nicht enthalten, Euer hochw. Eminenz das Mißfallen auszudrücken, das sie darüber empfunden haben, von so sich nennenden Katholiken eine Zeitschrift veröffentlicht zu sehen, welche sich ausgesprochenermaßen dem katholischen Geist und Unterricht entgegenstellt ... Es ist schmerzlich, daß unter denjenigen, welche sich eine Lehrgewalt in der Kirche anmaßen und den Papst selbst schulmeistern zu wollen scheinen, sich Namen befinden, welche schon durch andere von demselben Geist eingegebene Schriften bekannt sind, wie Fogazzaro, Tyrrell, von Hügel, Murri u. a.«.

Loisy, der selbst mit seiner Exkommunikation rechnen mußte, trat in einem Brief an Kardinal Steinhuber für seinen Freund ein: »Das Unrecht, das Herrn von Hügel widerfahren ist, berührt mich ganz besonders, weil Herr von Hügel seit vielen Jahren ein enger Freund von mir ist und weil ich es unerträglich finde, ihn als stolzen Menschen, als Pseudokatholiken, der sich anmaßt, den Papst zu schulmeistern, behandelt zu finden. Er ist der demütigste und selbstloseste, der der katholischen Sache am redlichsten hingegebene Mensch, den ich in meinem ganzen Leben kennenlernen durfte. Zweifellos verbindet dieser gelehrte und fromme Laie mit den Eigenschaften, von denen ich eben gesprochen habe, Redlichkeit und Mut.«[21] Im Mai 1907, als dieser Brief geschrieben wurde, konnte er den Baron nur noch kompromittieren.

Am 3. Juli desselben Jahres veröffentlichte das Heilige Offizium das Dekret *Lamentabili sane exitu*, das fünfundsechzig Sätze verurteilte, die zumeist in Anlehnung an Zitate aus Loisy und Tyrrell formuliert worden waren. Von Hügel versuchte zunächst, die Bedeutung dieses Dokuments herunterzuspielen: Er klassifizierte die einzelnen Sätze als Karikaturen, deren Verwerfung jedermann leicht unterschreiben könne, weil niemand sie vertreten habe. Allerdings enthalte das Dekret auch Verurteilungen, die »die Arbeit von rund siebzig Jahren kritischer biblischer Wissenschaft« (Bar S. 192) verwarfen und das Recht der historischen Arbeit an der Schrift und an der historischen Erforschung des Dogmas grundsätzlich bestritten. Vor allem aber bereite es Sorge, daß man klar voraussehen konnte, Rom werde sich mit dieser theoretischen Verurteilung nicht zufrieden geben.

So war die Situation, in der es zum Modernistentreffen in Molveno kam, nach dem von Hügel die Bezeichnung ›*Laienbischof der Modernisten*‹ erhielt. Man möge beten, man möge sich auf Schlimmes und Schweres vorbereiten – hatte er damals die Teilnehmer beschworen. Was aber auf die Betroffenen tatsächlich zukam, war ernster, als von Hügel hatte befürchten können: am 8. September 1907 wurde die Enzyklika *Pascendi dominici gregis* erlassen.

Die Enzyklika[22] begann mit einer allgemeinen Darstellung der Gefahr, die der Modernismus für die Kirche bedeute: sie

[21] *A. Loisy*, Quelques lettres sur des questions actuelles et sur des événements récents, Ceffonds 1908, S. 81f.

[22] Über die Enzyklika vgl. *P. Neuner*, ›Modernismus‹ und kirchliches Lehramt. Bedeutung und Folgen der Modernismus-Enzyklika Pius' X., in: Stimmen der Zeit 190 (1972) S. 249–262. Die folgenden

sah in ihm eine internationale Verschwörung, deren einziges Ziel es sei, die Lebenskraft der Kirche zu zerstören. Angesichts dieser Gefahr, die inzwischen in die Reihen der Kirche selbst eingedrungen sei, kam der Papst zu dem Entschluß: »Länger schweigen wäre Sünde. Wir müssen reden, wir müssen ihnen vor der ganzen Kirche die Maske herunterreißen« (S. 7). Nun bestand ja das Problem, daß der Modernismus keine einheitliche Bewegung zu sein schien. Die Tatsache, daß er nicht wie die Neuscholastik vom Ganzen eines Systems aus deduktiv argumentierte, beurteilte die Enzyklika als »den schlauen Kunstgriff (der Modernisten), ihre Lehren nicht systematisch und einheitlich, sondern stets nur vereinzelt und aus dem Zusammenhang gerissen vorzutragen« (S. 7).

Die Enzyklika machte es sich zur Aufgabe, das verborgene »*System*« des Modernismus aufzuzeigen. Dieses sei lt. Enzyklika vom Agnostizismus geprägt: Gott könne nicht durch den Verstand bewiesen, er müsse vielmehr unmittelbar erfahren werden. Aus dieser Erfahrung entwickelten sich nachträglich durch das Prinzip der »vitalen Immanenz« die Dogmen und die Kirche, vor allem aber die Hierarchie. Den Modernisten wird, das ist besonders festzuhalten, ihr Anti-Intellektualismus und ihre Betonung der religiösen *Erfahrung* zur Last gelegt. Damit ist der Vorwurf des Rationalismus, der heute oft gegen den Modernismus erhoben wird, nicht zu vereinbaren. Brachte die Enzyklika in diesen Passagen eine Reihe von durchaus zutreffenden, wenn auch nur unter neuscholastischen Voraussetzungen geltenden Aspekten dessen, was von Hügel und seine Freunde bewegte, erscheint die Darstellung der Arbeit historisch-kritischer Exegese, wie sie die Enzyklika zeichnete, als ein verwirrendes Konglomerat verschiedenster Arbeitsweisen. Gemeinsam sei ihnen nur,

Zitate aus der Enzyklika sind der autorisierten Ausgabe (Freiburg 1908) entnommen.

daß hier alles »a priori entschieden (werde), und zwar nach einem Apriorismus, der voller Häresien steckt« (S. 67).

Als Ursachen für das aus ihrer Sicht wirre System des Modernismus führte die Enzyklika an: »Zweifellos liegt seine nächste und unmittelbare Ursache in einem Irrtum des Verstandes. Entferntere Ursachen dagegen erblicken Wir zwei: Vorwitz und Stolz« (S. 89). Weil Unkenntnis das Ganze des Unheils nicht erklären und man den Modernisten auch keinen üblen Lebenswandel nachsagen könne, weil im Gegenteil ihre Sittenstrenge sie besonders gefährlich machte, weil sie über ihre wahren Absichten hinwegtäuschen könne, wurden ihnen Hochmut, Stolz und überhebliches Streben nach Erkenntnis vorgeworfen.

Bedrückend waren vor allem die *Maßregeln*, die die Enzyklika gegen die Modernisten erließ. Den Bischöfen wurde aufgetragen: »Deshalb, Ehrwürdige Brüder, muß es Eure erste Aufgabe sein, diesen stolzen Menschen entgegenzutreten, sie in den unbedeutendsten und unscheinbarsten Ämtern zu beschäftigen und sie desto tiefer herabzudrücken, je höher sie sich erheben« (S. 91). Im einzelnen habe demnach wiederum die Scholastik die Theologie zu bestimmen. Von der theologischen Lehre sei jedermann fernzuhalten oder aus ihr zu entfernen, »wer heimlich oder offen dem Modernismus zugetan ist und entweder die Modernisten lobt oder ihre Fehltritte entschuldigt oder die Scholastik, die heiligen Väter und das kirchliche Lehramt bemängelt..., ferner wer in der Geschichte oder der Archäologie oder der Exegese Neuerungen sucht« (S. 103). Für Priesteramtskandidaten wurde angeordnet, daß sie an staatlichen Universitäten keine Fächer hören dürften, die an kirchlichen Ausbildungsstätten studiert werden könnten. Die Bischöfe hätten die strenge Pflicht, Schriften zu überwachen, eine genügende Anzahl von Zensoren und Aufsichtsbehörden einzusetzen, die in der Lage seien, Neuerungen aufzuspüren. Sie müßten außerdem ein Jahr nach der Veröffentlichung der Enzyklika und in Zukunft alle drei Jahre unter Eid dem Heiligen Stuhl darüber Bericht erstatten, wie sie die getroffenen Anordnungen ausgeführt hätten.

Die Enzyklika wurde allgemein mit *Erschütterung* aufgenommen. Ihre Verurteilungen, noch mehr aber die praktischen Maßnahmen, die einem schrankenlosen Denunziantenwesen Tür und Tore öffneten (und Benigni und seine Geheimorganisation zu einer gefährlichen Waffe werden ließen), ihr Mißtrauen gegen alles und jedes führten zu einem Sturm der Entrüstung. Diese Kritik wiederum veranlaßte Rom zu weiteren Restriktionen: in einem Motu proprio vom 18. November 1907 wurde verfügt, daß jeder, »der zu der Kühnheit sich hinreißen läßt, einen von den Sätzen, Meinungen und Lehren, die in den beiden oben erwähnten Dokumenten (›Lamentabili‹ und ›Pascendi‹) verworfen werden, zu vertreten», ipso facto der Exkommunikation verfallen sei. Allgemein wurde diese Androhung der Exkommunikation dahingehend interpretiert, daß man ›Lamentabili‹ und ›Pascendi‹ den Charakter von unfehlbaren Entscheidungen geben wollte[23].

In der Folgezeit behalf man sich weithin damit, daß man sagte, Modernist sei nur, wer das ganze vorgelegte System des Modernismus vertrete – dann freilich hätte es keinen einzigen Modernisten gegeben, und jeder konnte den Verdacht von sich weisen. Anders reagierten *Loisy* und *Tyrrell*: auch sie distanzierten sich von dem vorgelegten System, erklärten aber, daß die Enzyklika eine Reihe von Punkten verurteilte, die sie tatsächlich verträten. Vor allem Tyrrells Aufsätze in der *Times*, in denen er die Enzyklika kritisierte, waren von ätzen-

[23] *A. Michelitsch*, Der biblisch-dogmatische ›Syllabus‹ Pius' X. samt der Enzyklika gegen den Modernismus und dem Motu proprio vom 18. November 1907, Graz–Wien ²1908, S. IV.

der Schärfe. So war es unausbleiblich, daß er suspendiert und von den Sakramenten ausgeschlossen wurde. Loisy, dessen Kritik an den päpstlichen Maßnahmen erst nach dem genannten Motu proprio erschienen war[24], wurde außerdem mit der großen Exkommunikation belegt.

Die beißende Ironie in Tyrrells Aufsätzen und seine Kontrovershaltung bereiteten von Hügel große Sorgen. Er hatte einen unvorsichtigen Mann in den Kampf geschickt und keine Möglichkeit mehr, ihn zu taktischem Vorgehen zu bewegen. Als Tyrrell aus dem Jesuitenorden ausgeschlossen wurde und eine neue kirchliche Heimat suchte, schien sich zuerst eine Lösung dahingehend anzubahnen, daß Kardinal Mercier von Mecheln in Belgien, mit dem Tyrrell und auch von Hügel gut bekannt waren, den Ex-Jesuiten in seine Diözese aufnehmen wollte. Doch Rom wußte das zu verhindern: Als die Enzyklika erschien, wurde Mercier von Rom gezwungen – offensichtlich sollte er gedemütigt werden – einen Hirtenbrief gegen den Modernismus zu verfassen und vor den Irrtümern des in seiner Diözese völlig unbekannten Tyrrell zu warnen. Dagegen nahm dieser in seinem Buch »Medievalism. A Reply to Cardinal Mercier« Stellung und das in verletzendem Ton.

In dieser kritischen Situation, in der sich kein Ausweg mehr zu bieten schien und allgemein der Eindruck herrschte, daß zwischen Kirche und moderner Welt alle Brücken abgerissen seien, strebten Tyrrell und Loisy von der verfaßten Kirche weg. Während Loisy von sich aus mit dem Christentum und dem Gottesglauben brach, nahm Tyrrell Kontakte mit den *Altkatholiken* auf. Er hatte zeitweilig den Eindruck, dem Katholizismus dort eher treu bleiben zu können als durch sein weiteres Verbleiben in der römisch-katholischen Kirche.

[24] *A. Loisy*, Simples réflexions sur le décret du saint-office Lamentabili sane exitu et sur l'encyclique Pascendi dominici gregis, Ceffonds ²1908.

Diese Perspektive ließ von Hügel zutiefst erschrecken. Er wollte unbedingt vermeiden, daß sich aus der Modernismuskontroverse Abspaltungen von der Kirche ergeben könnten.

Von Hügel war sich mit Tyrrell in der Beurteilung der kirchlichen Lage einig: auch er litt an den Verurteilungen und an der immer drückender werdenden Beengung, wenn er sie auch nicht in dem Maße erlebte wie sein Freund: als Laie und Angehöriger einer alten Adelsfamilie hatte er Freiheiten, die Tyrrell nicht zugestanden wurden. Er vermochte aber mit seinem Konzept von Reibung, Spannung und Konflikt dieser zunehmenden Bedrückung eine *positive* Seite abzugewinnen: sie kann – recht gesehen und eingesetzt – als Mittel zur Personwerdung dienen. Den Preis, den Kirchengliedschaft in diesen Jahrzehnten für theologische Forschung verlangte, erkannte er als Chance für die Reifung der *Person*. Über diesen Prozeß schrieb er: »Wie man sieht, erheben die Autoritäten der Kirche mehr oder weniger unablässig diese gefährlich exzessiven Ansprüche: was ist dies, was kann dies alles für solch eine gesammelte Seele (die weitgehend in und durch solche Institutionen lebt) anderes sein als ein langes, tiefes, ununterbrochenes Fegefeuer? Dort, ganz sicher dort und nur dort haben Sie den Zielpunkt und den Schlüssel zu allem, was ich gesagt habe« (SL S. 201). Die Kirche als Institution gewährt das Von-außen-Kommen einer dem Menschen vorgegebenen Offenbarung. Sie wirkt gleichzeitig in einer Weise, die von Hügel als *Fegefeuer* erschien: wer sich diesem Fegefeuer entzieht, wer nicht bereit ist, den Preis zu zahlen und den Schmerz zu tragen, dem bleibt auch die reinigende und Person verwirklichende Kraft der Kirche verschlossen. Trotz aller oder auch gerade wegen aller Bedrückung gelang es ihm, in der Kirche zu bleiben und sie als unverzichtbares Element seines Glaubens festzuhalten.

Tyrrell, dem von Hügel diese Überlegungen immer wieder mitteilte und den er beschwor, nicht von sich aus mit der Kirche als Institution zu brechen, konnte sich diesen Gedanken nicht anschließen. Er erwiderte dem Baron: »Ich stimme mit dem überein, was die Kirchen für einen tun *sollten*. Aber für mich tun sie es nicht, und die Bemühung, mich Rom anzupassen, ist für mich eine Quelle geistiger Unfruchtbarkeit, moralischer Feigheit und geistlicher Sterilität geworden. Das Beste in mir lehnt sich dagegen auf. Zu sagen, daß sie hilft, wie ein Hindernis hilft, bedeutet, sie mit dem Teufel in eine Kategorie zu stellen« (HT S. 155). Er wurde dabei in seiner Kritik an von Hügel recht deutlich: »Manchmal erscheint es mir, als ob Sie in Ihrem gerechten Kampf gegen den Irrtum der Simplifizierung so weit gehen, daß Sie die Komplexität als einen Wert in sich ansehen. *Coeteris paribus* ist Einfachheit gut und Komplexität ein Übel. Ich frage mich, ob nicht der *Modernismus* in vielfältiger Weise eine Vereinfachung darstellt – eine Befreiung von nutzloser Komplikation; ob die Bibel nicht ein Aufstand gegen die Vielfalt des Legalismus war. Ich nehme an, der Brahmanismus ist komplexer als der Katholizismus, der Polytheismus komplexer als der Monotheismus. Offensichtlich ist eine einfachere Religion nicht notwendigerweise eine niedrigere Religion ... Ich glaube also, wir müssen nach einem anderen Maßstab suchen als dem einer lediglich quantitativen Komplexität« (HT S. 173f).

Von Hügel fühlte sich durch diese Kritik sehr betroffen: entzog sie doch seiner eigenen Theologie, die ihm zugleich kritische wissenschaftliche Forschung und Treue zur konkret verfaßten Kirche ermöglichte, letztlich den Boden. So konnte er seine Vorstellung nur wiederholen und auch weiterhin sprechen über »meine Lehre von einer langsam zu erreichenden Harmonie in und durch den Widerstand und die Reibung von widerstrebendem und offensichtlich verschiedenartigem Material einer jeden Art«. Als Begründung fügte er hinzu: »Was ist das Leben, alles moralische, geistliche, geistige – auch das christliche und katholische Leben und die Mühe um

Reform in sich selbst und in anderen – anderes als dies?« (HT S. 152).

In seinem letzten Aufsatz, dem einzigen, der ursprünglich in deutscher Sprache erschien, stellte er noch einmal sein Lebensprogramm dar, als er über einen indischen Mystiker schrieb, der, um die Freiheit und Unmittelbarkeit der Erfahrung nicht zu gefährden, sich keiner Kirche anschloß. Er berichtete, daß er von der gleichen Versuchung berührt worden sei. »Aber bald kam mir volle Klarheit: daß ich nun seit fünfzig Jahren bestrebt bin, das Leben eines kritischen Historikers und geradeaus schauenden Religionsphilosophen in aller Gewissenhaftigkeit zu führen, daß meine Zugehörigkeit zur römisch-katholischen Kirche mich über zehn Jahre heißen Ringens und Kämpfens gekostet hat, gerade weil ich zwar ein großes Maß an Freiheit brauchte, um meine Lebensaufgabe zu lösen, mich aber die Versuchung umdrängte, durch einen möglichst reinen Individualismus alle solche Verwicklungen fernzuhalten und so eine völlige Freiheit zu genießen, daß mich aber schließlich die Zugehörigkeit zur Kirche vor Skeptizismus und seelischer Aufgeblasenheit bewahrte, und sie, recht verstanden und geübt, ganz gut vereinbar war mit der gesunden Freiheit, die ich für meine Studien brauchte. Ich schlage also nichts vor, dessen Preis ich nicht gut kenne. Dieser Preis ist wahrhaftig so groß, daß ihn nur ein starker Glaube zahlen kann. Aber der Gewinn ist hoch – der höchste, den eine solche Seele erlangen, den ihr Gott gnädigst schenken kann.«[25]

[25] Der Mystiker und die Kirche. Aus Anlaß des Sadhu, in: Hochland 22/1 (1924) S. 330.

Dank des Grundkonzepts von Reibung, Spannung und Konflikt konnte Friedrich von Hügel den Preis bezahlen, der es ihm erlaubte, in seiner kirchlichen Existenz unangefochten zu bleiben. Und er hatte Erfolg: er wurde nicht exkommuniziert und keines seiner Werke kam auf den Index. Allerdings brachten ihm sein Taktieren und seine Bemühung, möglichst wenig Anstoß zu erregen, den Vorwurf der *Feigheit* ein. Maude Petre urteilte sogar: »Er hatte nicht das Recht, sicher an Bord zu bleiben, als so viele seiner Freunde im Wasser lagen. Auch wenn sie gesprungen waren, als er ihnen riet, es nicht zu tun, wäre es für ihn vielleicht an der Zeit gewesen, ebenso zu springen.«[26]

Hier ist festzuhalten, daß sich von Hügel an einigen entscheidenden Punkten auch in der Öffentlichkeit zum Modernismus bekannte. Dies wurde besonders deutlich anläßlich der Geschehnisse um die Zeitschrift *Il Rinnovamento*. Wegen seiner Mitarbeit war er schon im April 1907 gerügt worden. Nach dem Erscheinen der Modernismusenzyklika bot von Hügel an, hier Loisys neues Werk, eine zweibändige Arbeit über die synoptischen Evangelien, ausführlich zu besprechen. Doch wenige Tage später wurde über alle Autoren, Verkäufer, Käufer und Leser des Rinnovamento der automatisch eintretende Ausschluß von den Sakramenten und über die betroffenen Priester gleichzeitig die Irregularität verhängt. Von

[26] *M. D. Petre*, My Way of Faith, London 1937, S. 258.

Hügel setzte sich sofort dafür ein, die Zeitschrift dennoch weiterzuführen; er ermutigte die Herausgeber telegraphisch und bot sogar eine finanzielle Unterstützung von jährlich mehreren hundert Pfund an, um trotz des zu erwartenden Käuferrückgangs das Fortbestehen zu gewährleisten. Mit seiner eigenen Veröffentlichung zögerte er nun aber doch: er wollte die Rezension zuerst *anonym* publizieren. Doch Tyrrell machte ihm heftige Vorwürfe: »Ich fürchte sehr, daß Ihr Tun vom Rinnovamento und von anderen Leuten, die Sie in der entgegengesetzten Richtung ermutigt haben, mißverstanden wird ... Hätte ich so sehr an die Sache der Modernisten geglaubt wie Sie, hätte ich vermutlich anders gehandelt« (HT S. 169). Darauf entschloß sich der Baron nach langen inneren Kämpfen, seine Besprechung, die den Umfang eines Buches annahm und in der er sich eindeutig mit Loisy solidarisierte, mit der Initiale »H« zu signieren. Was er damit erreichen wollte, stellte er so dar: »Die Frage war, ob ich mit vollem Namen zeichnen sollte – dies erschien als provozierend; oder sollte ich ein Pseudonym oder irreführende Initialen angeben – dies erschien mir etwas niederträchtig. So entschloß ich mich, die Initiale H. anzugeben, die so völlig unitalienisch ist, daß sie (zusammen mit dem Stil usw.) den Autor sofort verrät und es Rom dennoch erlaubt, ihn – wenn es will – frei laufen zu lassen.«[27]

In die unmittelbare Gefahr der Exkommunikation kam von Hügel anläßlich der Ereignisse um *Tyrrells Tod*. Tyrrell hatte im Juli 1909 auf dem Sterbebett sub conditione die Sakramente empfangen. Um zu verhindern, daß dies als bedingungslose Unterwerfung interpretiert würde, erklärte von Hügel in Briefen an die *Times* und an den *Daily Mail*, daß der Verstorbene die Sakramente nicht »auf Kosten eines Wider-

[27] *N. Abercrombie* (Hrsg.), Friedrich von Hügel's Letters to Edmund Bishop, in: The Dublin Review 227 (1953) S. 424.

rufes dessen, was er in aller Aufrichtigkeit gesagt oder geschrieben hatte und immer noch als die Wahrheit ansah, empfangen wollte«. Daraufhin wurde Tyrrell das kirchliche Begräbnis verweigert. Bremond war anläßlich des Todes seines Freundes nach England gekommen. Er sprach privat, ohne kirchliche Gewänder, die Totengebete und hielt am Grab einen völlig unpolemischen Nachruf. Daraufhin wurde Bremond selbst suspendiert und erst wieder aufgenommen, als er vier Monate später eine Erklärung unterschrieb, daß er ›*Pascendi*‹ und ›*Lamentabili*‹ ohne jeden Vorbehalt annehme – eine Unterschrift, derentwegen wiederum von Hügel ihm Vorwürfe machte.

Der Baron hatte mit Maude Petre an der Beisetzung Tyrrells teilgenommen. Dies war für Kardinal *Merry del Val* der Anlaß, beim englischen Episkopat anzufragen, ob nicht auch gegen diese beiden Personen kirchenamtliche Schritte eingeleitet werden sollten. Kardinal Bourne riet, man solle warten, bis Tyrrells posthumes Werk *Christianity at the Cross-Roads* erschienen sei, dann könne man klarer sehen. Von Hügel scheint von den Vorgängen, jedenfalls soweit sie ihn persönlich betrafen, nie erfahren zu haben. Dennoch rechnete er damit, wenigstens zeitweise von den Sakramenten ausgeschlossen zu werden – ein Preis, den er für die wissenschaftliche Redlichkeit und für die Treue zu seinen Überzeugungen und zu seinen Freunden zu zahlen bereit gewesen wäre.

Andererseits tat er alles, was sich mit Ehrenhaftigkeit und Loyalität vereinbaren ließ, um der Zulassung zu den Sakramenten nicht verlustig zu gehen. Er zog es vor, wenn immer möglich, zu *schweigen*. Er war überzeugt, daß kein Buch es wert sein könne, der Sakramente beraubt zu werden. Maude Petre gegenüber vertrat er immer wieder die Auffassung, man sollte im Augenblick über die Probleme des Modernismus nichts veröffentlichen. Es erschien ihm unmöglich ›*Pascendi*‹

und ›*Lamentabili*‹ zu unterschreiben. Als einem Laien wurde ihm diese Unterschrift allerdings auch nicht abverlangt. Es war aber mit Redlichkeit und Loyalität vereinbar, wenigstens zeitweilig zu schweigen – kein zu hoher Preis für die Kirchengliedschaft und die Sakramente, wie er meinte.

Die Treue zur Kirche in ihrer konkreten Gestalt und seine Liebe zu den Sakramenten veranlaßten ihn, dieses Leiden an der Kirche zu ertragen und immer wieder nach Ausgleich zu suchen. Daneben hatte er einen zweiten Grund, alles zu tun, um eine kirchenamtliche Maßregelung zu vermeiden: am Höhepunkt der Modernismuskrise stand sein Haupt- und Lebenswerk, die fast tausendseitige Arbeit über das mystische Element in der Religion, unmittelbar vor der Veröffentlichung. Er wollte keinesfalls riskieren, daß durch die Indizierung oder Exkommunikation des Autors diesem Buch jede Wirkung in der Kirche von vornherein genommen würde.

Der vielleicht wichtigste Grund für von Hügels Vorsicht war die Rücksichtnahme auf seine *Familie*. Er wollte seinen Angehörigen die Verurteilung des Familienoberhauptes unbedingt ersparen. Denn als ihm Tyrrell vorwarf, es sei feige und wohl auch unehrenhaft, die erwähnte Rezension anonym zu veröffentlichen, antwortete der Baron tief getroffen: »Ich habe nicht nur an mich selbst, sondern auch an eine liebe Frau, die nur aus Liebe zu mir in dieser Angelegenheit zu mir steht, und an drei gute Töchter, die ich zu verheiraten habe, zu denken. Ich muß wirklich bis an die Grenze von niedriger Feigheit gehen« (HT S. 143). Tyrrell akzeptierte diese Erklärung, wenn auch recht widerwillig: »Natürlich sehe ich ein, daß ein Priester als außer-soziales oder über-soziales Lebewesen in vielfältiger Weise freier sein kann, mit den verirrten Schafen umzugehen und sich unter sie zu mengen als ein Laie, der durch eine katholische Familie belastet wird« (HT S. 174).

Von Hügel blieb eine Verurteilung nicht zuletzt deshalb erspart, weil er es verstand, seine Gedanken vor Uneingeweihten zu verhüllen. Er war streng darauf bedacht, kein Aufsehen in der Öffentlichkeit zu erregen. Konnte und wollte er sich nicht hinter Pseudonymen verstecken, wie es damals an beiden Fronten durchaus üblich war, so *verbarg* er sein Denken hinter wahren Satzungetümen. Während Tyrrell und auch Loisy in eingängigen, kurzen, oft aphoristischen Sätzen schrieben, die sich zitieren und verurteilen ließen, finden sich im Werk von Hügels kaum derartige prägnante Aussagen. Die Klage über den komplizierten, völlig unenglischen Satzbau mit seinen zahlreichen Unterbrechungen, Einschüben und Klammern wird bei allen Interpreten laut. Das mag auch erklären, warum den Hügelschen Schriften eine größere Breitenwirkung versagt geblieben ist. Die Bitte des deutschen Theologen *Friedrich Heiler*, mit dem er über Jahre in geistigem Austausch stand, den ersten Band seiner gesammelten Schriften »Essays and Addresses on the Philosophy of Religion« ins Deutsche übersetzen zu dürfen, lehnte von Hügel noch 1922 ab: »Ich will das Prinzip eines langen Lebens nicht gefährdet sehen; es muß bei mir mein reines, festes Aushalten bei und unter Rom ganz klar, auch aus den trivialen Umständen, hervorleuchten. Ich habe jetzt erreicht, daß mich auch Jesuiten im ›Tablet‹ und Dominikaner auf der Kanzel der Westminsterer Kathedrale als katholischen Denker mit Lob zitieren. Mir ist dies teurer als irgendwelche Ausbreitung unter Andersdenkenden ... Also bitte freundlichst alle Übersetzungspläne fallen zu lassen.« [28]

War von Hügel Modernist?

Eine klare Antwort auf diese Frage würde eine *eindeutige Bestimmung* des Begriffs »Modernismus« voraussetzen. Soll

[28] *G. K. Frank*, Die Briefe Friedrich von Hügels an Friedrich Heiler, in: Ökumenische Einheit 3 (1952) Heft 2, S. 37.

als Modernist nur bezeichnet werden können, wer das in der Enzyklika vorgelegte und verurteilte System vertrat, dann war von Hügel sicher kein Modernist – dann hätte es aber auch keinen einzigen Modernisten gegeben. Von Hügel selbst wandte verschiedentlich den Begriff Modernist auf sich selbst an, wobei er sich dem rechten Flügel zurechnete. An anderer Stelle verwahrte er sich entschieden dagegen, als solcher gekennzeichnet zu werden. Wenn er in der Sekundärliteratur als der »Laienbischof der Modernisten«, als ihr »Verbindungsoffizier«, als der bestinformierte Mann der ganzen Bewegung bezeichnet wird, so wurde andererseits behauptet, seine Religionsphilosophie sei nicht nur frei vom Modernismus, sondern sogar »unzweideutig antimodernistisch« (M. Schlüter-Hermkes). War er »der ideale Modernist« (K. Pfleger), oder hatte er als »der fatale Baron von Hügel« (H. U. von Balthasar) seine eigentlichen Absichten nach außen hin mit »einem mystischen Schleier bedeckt« (G. Prezzolini)?

Eine eindeutige Umschreibung des Begriffs Modernismus ist deshalb nicht zu geben, weil Rom es verhindert hat, daß dieser klar definiert wurde: der Modernismusverdacht sollte möglichst uneingeschränkt und damit nicht widerlegbar gegenüber jeder theologischen und pastoralen Neubesinnung verwendet werden können. Der Intention der Enzyklika würde am ehesten eine Definition entsprechen, die unter Modernismus die durch Papst Pius X. verurteilten Reformbestrebungen versteht, welche versuchten, in den verschiedenen theologischen, kirchenorganisatorischen, seelsorglichen und politischen Fragen eine Synthese aus neuen wissenschaftlichen Erkenntnissen, dem Weltbild der Gegenwart und dem überkommenen Glauben herzustellen, und denen eine Abkehr von der alles beherrschenden Neuscholastik gemeinsam war. Schließt man sich dieser Deutung an, war von Hügel sicher einer der führenden Köpfe des Modernismus. In diesem Sinne ist Maude Petre zuzustimmen, wenn sie betonte: »Er

DER KAMPF UM DIE WIRKLICHKEIT GOTTES

In den Jahren nach der Modernismuskontroverse finden sich einige Äußerungen von Hügels, in denen er sich sehr deutlich vom Modernismus distanzierte. Als Unterschied zwischen seiner eigenen und der modernistischen Position stellte er dar: »Die hauptsächliche und entscheidende Differenz scheint mir nun zwischen einer Religion zu liegen, die als rein innermenschliches Phänomen verstanden wird und keine Aussagekraft über die Anmutungen der Menschheit hinaus hat; und einer Religion, die als wesentlich evidentiell verstanden wird, als Wirkung einer Realität in uns, die größer ist als wir es sind, einer Realität, die größer ist als alle rein menschlichen Tatsachen und Wünsche« (SL S. 334). Es geht um die Frage, ob in der Erforschung der menschlichen religiösen Erfahrungen ein *Gegenüber*, die *Andersheit* und *Wirklichkeit Gottes* aufleuchten oder ob Religion ein Phänomen innerhalb der menschlichen Wirklichkeit bleibt.

Das auf der vorhergehenden Alternative beruhende Verständnis des Modernismus, auf das von Hügel seine Ablehnung gründete, spielte in der Enzyklika lediglich eine untergeordnete Rolle. Tatsächlich aber entwickelten sich einige Theologen, die als Modernisten verurteilt worden waren, in der Folgezeit auf ein Verständnis von Religion hin, in dem die Wirklichkeit eines vom Menschen unabhängigen, ihm vorgegebenen Gottes kaum noch einen Platz hatte. Der Kampf, den von Hügel nun führte, drehte sich um die *Transzendenz* Gottes. Dieser Konflikt war der wohl schmerzlichste im Leben des Barons, mußte er ihn doch mit zweien seiner engsten Freunde austragen: mit Tyrrell und Loisy.

Hier ist daran zu erinnern, daß die Beschäftigung mit der Mystik und der Gotteserfahrung im Innersten des Menschen in der Zeit der Modernismuskontroverse als Gegenreaktion auf eine sich versteifende Institution erfolgte. Während die neuscholastische Theologie Gott allein außerhalb der Welt sah, ihn also in Regionen ansiedelte, die dem Menschen prinzipiell nicht zugänglich sind und allein durch die Mittlerstellung des kirchlichen Amtes erreicht werden können, geht die Mystik von dem im Innersten des Menschen *unmittelbar* erfahrbaren Gott aus. Diese Erfahrung bedarf der Vermittlung durch das Amt nicht, so daß dieses aus seiner exklusiven Stellung verdrängt wird. Tyrrell interpretierte seine Betonung der Immanenz Gottes in einem Brief an von Hügel: Die kirchlichen Autoritäten »meinen, daß Transzendenz *deistisches* Außerhalb-Sein Gottes bedeutet, und darum die Vorstellung einer besonderen Telegraphenverbindung zwischen dem Himmel und dem Papst, auf der Botschaften übermittelt werden, die kein Mensch überprüfen oder hinterfragen kann, rechtfertigen würde. Man wagt das Wort (Transzendenz) nicht mehr zu benutzen, um es nicht ihrem Spiel zu überlassen«.

Von Hügel erschien es jedoch, als würde Tyrrell nicht allein eine einseitige Mittlerstellung der Institution in Frage stellen, sondern als habe in seinem Konzept von der Immanenz der vom Menschen unabhängige, transzendente Gott keinen Platz mehr. So schrieb er an Tyrrell: »Irgendwie habe ich das starke Empfinden, daß Ihre Bewertung der alten transzendenten Vorstellung von Gott, als bedürfe sie auf der ganzen Linie einer Umformulierung durch eine immanente Vorstellung, zwar recht verführerisch ist, aber dennoch eine verarmende Simplifizierung darstellt. Sicher ist Gott nicht in irgendeiner Weise und einem Sinne einfachhin (räumlich) außer uns oder über uns; und diese räumlichen Bilder müssen tatsächlich durch Begriffe geistiger Erfahrung und geistiger

Wirklichkeit interpretiert werden. Aber diese Erfahrung selbst bezieht sich wesensgemäß ebensosehr auf den transzendenten wie auf den immanenten Gott« (SL S. 139). Vor allem bei Tyrrell traf zu, was von Hügel bei einer Reihe von Modernisten mit Schmerz feststellen mußte: daß »ein tyrannischer Transzendentalismus und ein skeptischer Immanentismus« sich gegenseitig bedingen (Bed S. 247).

Im Falle Tyrrell war sich von Hügel sicher, daß dieser im Grunde, trotz mancher gegenteilig klingender Äußerungen, unverrückbar am transzendenten Gott festhielt und daß er – hätte er noch länger gelebt – zu einer ausgewogenen Haltung in der Betonung von Immanenz und Transzendenz zurückgefunden hätte. Anders war es bei Loisy, der keinen Zweifel daran ließ, daß er mit dem Christentum und dem traditionellen Gottesglauben gebrochen hatte. Loisy war bereits in den Jahren, bevor er *L'Evangile et l'Eglise* ausgearbeitet hatte, in seinem kirchlichen Glauben *unsicher* geworden. Dennoch versuchte er immer wieder seinen Platz in der Kirche zu behaupten, und diese Versuche waren durchaus redlich gemeint. Den Höhepunkt seiner Bemühung stellt sein Brief an Papst Pius X. dar, in dem es heißt: »Heiligster Vater! Ich kenne das ganze Wohlwollen Ew. Heiligkeit, und an Ihr Herz wende ich mich heute. Ich möchte leben und sterben in der Gemeinschaft der katholischen Kirche«. Als er jedoch auf seinen Appell nur die Antwort erhielt: »Dieser Brief ist nicht mit dem Herzen geschrieben«, als seine Werke indiziert und er selbst exkommuniziert wurde, erfaßte ihn – wie er berichtete – eine Art wütender Betäubung. Er hatte das Empfinden, daß die Kirche kein Herz habe. »Wenn die römische Kirche kein Herz hat, wie sollte man da glauben, daß sie göttlicher Herkunft sei?«[30]

[30] Diese Rechtfertigung Loisys stammt von Henri Bremond, der sie unter dem Pseudonym S. Leblanc veröffentlichte: Un clerc qui n'a pas trahi. Alfred Loisy d'après ses mémoires, Paris 1931, S. 51.

Hier ist daran zu erinnern, daß Loisy die Entwicklungslehre zum Strukturprinzip seiner Theologie gemacht hatte: aus der Entwicklung und ihrem *faktischen Verlauf* leitete er die Notwendigkeit und damit die *Legitimität* der Kirche ab. Seine Konzeption kannte aber kein Unterscheidungskriterium zwischen legitimer, problematischer und falscher Entwicklung. Insofern war es für ihn nur folgerichtig, daß ihn seine Enttäuschung über die Kirche zu einem Bruch mit ihr, dem Christentum und dem Gottesglauben veranlaßte. Er konnte zwischen einseitigen und falschen Entwicklungen auch in der kirchlichen Institution und dem davon unberührten Sinn und Auftrag der Kirche nicht unterscheiden.

Loisy vertrat von nun an eine Vorstellung, die die Ahnung einer geistigen, sozusagen eines den sichtbaren Realitäten immanenten Jenseits zum Inhalt hatte. Nicht mehr dem Gegenüber, dem transzendenten Gott, sondern der in der Menschheit als ganzer sichtbar werdenden Wirklichkeit galt nun seine Bemühung. Den entscheidenden Bruch in der Entwicklung Loisys bewirkte – mehr noch als seine Exkommunikation – der Ausbruch des Ersten Weltkriegs und hier besonders der *Aufruf der 93 Gelehrten,* in dem der Krieg als gerechte Sache des deutschen Volkes bezeichnet und als heiliger Krieg charakterisiert wurde. Unter den Unterzeichnern befanden sich auch viele der namhaftesten deutschen Theologen und Philosophen; Adolf von Harnack, Wilhelm Herrmann und Rudolf Eucken waren unter ihnen. Die Religion, die Loisy nun verkündete, die *Religion der Menschheit,* hatte ihre Heiligen und Märtyrer in Männern wie jenem Schüler Loisys, »der unter Lebensgefahr hinging, den zwischen den Schützengräben liegengebliebenen deutschen Verwundeten, um die sich keiner auf beiden Seiten zu kümmern wagte, beizustehen« (Mém III S. 310). Nicht dem Gott, »der den Vorsitz führt bei diesen Menschenschlächtereien«, der fungiert »als der oberste Massacreur, den man gegen die Feinde braucht«, sondern der

Menschheit haben die Opfer und die Verehrung der Religion zu gelten. Im »großen Wesen Menschheit« wurde für Loisy allerdings eine Realität sichtbar, die weder mit dem einzelnen Menschen noch mit der Menschheit als ganzer identisch ist. Vielmehr erscheint in dieser Menschheit ein Mehr-Als, im Bedingten ein Unbedingtes, in der Immanenz eine Transzendenz.

Von Hügel verursachte diese Wendung Loisys erhebliche Pein. Er versuchte immer wieder, ihn im Sinne der im Christentum vertretenen Gottesvorstellung zu interpretieren und beschwor ihn, von einer »Reinterpretation aller Religion in den Begriffen einer rein immanenten Moral«, die eine »Leugnung jeder übernatürlichen Wirklichkeit« in sich schließt (Mém III S. 350), Abstand zu nehmen. Doch Loisy hatte mit dem Christentum gebrochen, er sprach zeitweilig nicht mehr von einem persönlichen Gott. Den Vorwurf des reinen Immanentismus, den von Hügel gegen ihn erhob, wies er aber entschieden zurück. Er wollte an der *Transzendenz* dessen, was er in der Religion der Menschheit verehrte, unbedingt festhalten. Ebenso wie Tyrrell bereits von Hügels Vorwürfe des Immanentismus zurückgewiesen hatte, wehrte sich nun auch Loisy gegen diese Charakterisierung, teilweise mit bissigen und spöttischen Bemerkungen: »Der absolute Subjektivismus, den er mir zuschreibt, ist ein Traum seines Geistes«. Von Hügels Insistieren auf der Transzendenz Gottes bezeichnet er als den »Alptraum eines Kranken« (Mém III S. 360). »Die Frage des Immanentismus ist für ihn zu einer positiven Zwangsvorstellung geworden«.

Worum ging es letztlich in diesem Streit? Wie war es möglich, daß von Hügel Loisy die Leugnung der Transzendenz Gottes vorwarf, während kein geringerer als Henri Bremond diesem bescheinigte, daß er eine Form der Religion vertrete, wie sie die großen christlichen Mystiker praktiziert haben? Von Hügel und Loisy waren sich darin einig, daß Gott nicht unabhängig vom Menschen durch Schlußfolgerungen aus der Natur gefunden und bewiesen werden kann, daß er vielmehr im Innersten des Menschen erfahren werden muß. Gott ist nicht außer oder über dem Menschen, sondern in ihm zu erkennen. Dieser *im Innersten* des Menschen lebendige Gott ist dabei transzendent, d. h. er geht nicht in der menschlichen Wirklichkeit auf. Im Innersten des Menschen begegnet somit ein Mehr-als-Menschliches, im Bedingten ein Unbedingtes. Was von Hügel an Loisy kritisierte, war, daß bei ihm die Erfahrung des »in, mit, unter, hinter«, also die Erfahrung im Innersten des Menschen nicht umschlägt zu einer Erfahrung des *Gegenüber*, des »Ganz-Anderen«. Gott ist nach von Hügel dem Menschen nicht nur immanent und in der Immanenz transzendent; er wird im Innersten auch als das Gegenüber, als fremd und vorgegeben erfahren. Zentraler Akt der Religion war für von Hügel die *Anbetung* des dem Menschen gegenüberstehenden Gottes, und diese Anbetung schien ihm im Denken Loisys nicht mehr gewährleistet. Von Hügels Gotteslehre ging alle die Wege, die Loisy in der Erfahrung des Menschen und der Menschheit aufzeigte, mit. Er überschritt sie aber dadurch, daß er das Ziel der ganzen Bewegung der Gotteserfahrung in der Anbetung fand, für die ihm in Loisys System kein Platz mehr zu sein schien.

In dieser Auseinandersetzung distanzierte sich von Hügel in späteren Jahren – Loisy nahm ihm das sehr übel – von einem großen Teil seiner früheren Freunde und Weggefährten in der Zeit des Modernismus. Sogar Blondel erscheint in einem späten Brief von Hügels als Wegbereiter des Immanentismus. Zu Blondels Methode der Immanenz, die vom Menschen und seinen Bedürfnissen und Wünschen ausgeht, erblickte er nun die Gefahr, die Erfüllung, die Übernatur, Gott nach den Maßen des Menschen zu bestimmen, als seine *Projektion* zu verstehen und nicht mehr zu einem vorgegebenen Gott durchzudringen. Dagegen zeigte ihm die historische

Forschung, daß Frage und Antwort nicht so lückenlos zusammenpassen, daß die Geschichte das Vorverständnis des Menschen nicht nur erfüllt, sondern es vor allem korrigiert. Die historische Forschung bewies Friedrich von Hügel, daß Jesus durchaus *anders* war, als das fromme Bewußtsein es wollte und ersehnte. Das *Nicht-Passen* dieser Erfüllung, die Probleme der Schrift, wurden ihm nun Beweis dafür, daß Gott nicht einfachhin eine Projektion des Menschen ins Unendliche ist, daß hier vielmehr eine Wirklichkeit begegnet, die größer ist als alles, was der Mensch erahnen und ersehnen könnte. Historische Schwierigkeiten zeigen die nicht vorherbestimmbare Größe, die Transzendenz und die Andersheit Gottes. War von Hügel in der früheren Phase der modernistischen Auseinandersetzung auf der Seite des radikaleren Flügels in der Anwendung der historischen Methode für die Erforschung der Schrift, führte ihn nun in einer anderen Fragestellung diese gleiche Einstellung zu der traditionelleren Sicht in der Gottesvorstellung. Weil die Geschichte Probleme aufwirft, die den Menschen in seinem Glauben belasten, muß der in dieser Geschichte erfahrbar werdende Gott größer sein als alle menschlichen Projektionen. Blondel und von Hügel blieben in ihrer Vorstellung in sich unerschüttert, die neue Fragestellung führte aber von Hügel auf die gegenüber Blondel traditionellere Seite der kirchlichen Erneuerungsbewegung. Die Behauptung aber, daß der immer rechtgläubige Blondel den zeitweise vom Glauben abirrenden von Hügel später auf den rechten Weg zurückgeführt habe, ist nicht aufrechtzuerhalten.

THEOLOGIE UND SPIRITUELLE BERATUNG

Mit Tyrrells Tod und Loisys Abwendung vom Christentum war das schwerste Kapitel im Leben Friedrich von Hügels abgeschlossen. So schien sich nach 1910 ein anderer Baron zu zeigen: als geistlicher Berater nahm er in London zunehmend eine Stellung ein, die der Rolle, die Huvelin fünfundzwanzig Jahre früher in Paris gespielt hatte, nicht unähnlich war. Als Autor eines der bedeutendsten Bücher über die Mystik wurde er zum weithin geschätzten und verehrten *Berater* in allen Fragen des *geistlichen Lebens*. Spirituelle Briefe nahmen einen immer breiteren Raum in seiner Arbeit ein. Dennoch hat er seine früheren Ansichten damit nicht aufgegeben. Nach wie vor vertrat er die exegetischen Auffassungen, die ihn zum engsten Vertrauten Loisys gemacht hatten. In seiner Lehre über Transzendenz und Immanenz war er unerschüttert, wenn er nun auch das Gewicht stärker auf die Seite der Transzendenz legte, als er dies früher getan hatte. Es geht deshalb nicht an, von Hügels Leben in eine »modernistische« und eine »rechtgläubige«, reife Epoche zu zerlegen, wie es verschiedentlich versucht wurde, um – jedenfalls den späten – Friedrich von Hügel vom Modernismusverdacht freizusprechen. Sein Modernismus und seine Frömmigkeit sind die beiden Seiten der gleichen Sache. Als die Kontroversen durchlitten waren, konnte er die *positive* Seite seiner Überzeugungen ganz in den Vordergrund treten lassen.

Sein zweites Buch – der Baron hatte inzwischen sein sechzigstes Jahr erreicht – war einem religiös bedeutsamen Thema gewidmet: es war eine Abhandlung über »Das ewige Leben«. Sie sollte ursprünglich als Lexikonartikel erscheinen, uferte jedoch zu einer Monographie von 400 Seiten aus. Ebenso wie bei ›Mystical Element‹ und bei den späteren Werken übergab von Hügel das Buch, wie es im Vorwort heißt, »der Prüfung und der Beurteilung meiner Mit-Christen und der katholischen Kirche«, ein Satz, mit dem er die Tatsache verdeckte, daß alle seine Arbeiten ohne Imprimatur erschienen sind und dieses sicher auch nicht erhalten hätten. Die Bitte um die kirchliche Druckerlaubnis bezeichnete er scherzhaft immer als den ersten Schritt auf dem Weg zum Index.

In diesen Jahren konnte von Hügel auch seine theologischen Freundschaften neu ausrichten. Nachdem Tyrrell gestorben war und eine Reihe seiner früheren Freunde mit der Kirche gebrochen hatten, nachdem der Aufruf der 93 Gelehrten von Hügels Kontakt mit Eucken ein für allemal beendet hatte, mußte er seine Beziehungen neu ordnen. Die größte Bedeutung für ihn erlangte da seine Freundschaft mit *Ernst Troeltsch*.

Mit ihm hatte von Hügel schon 1897 Verbindung aufgenommen. Im Denken des damals einunddreißigjährigen lutherischen Theologen fand er in besonders eindrucksvoller Weise verwirklicht, was seine eigenen Überzeugungen grundlegend geprägt hat. Troeltsch hatte den Aufruf der 93 Gelehrten nicht unterschrieben: er war der erste Deutsche, mit dem von Hügel nach dem Ende des Ersten Weltkriegs wieder Kontakt fand. Vor allem bemühte er sich, ihn als Repräsentanten eines *nichtchauvinistischen Deutschland* zu einer Vortragsreise nach England zu holen. Wie auf dem Höhepunkt der Modernismuskrise ließ er nochmals alle seine Verbindungen spielen. Es galt dabei, eine Fülle von Widerständen zu überwinden. Troeltsch war als *Deutscher*, aber auch als Vertreter einer theologischen Richtung, der man offen *Irrlehre* vorwarf, keineswegs allgemein willkommen. Von

Hügel sorgte sich darum, wo er sprechen sollte und bemühte sich, Einladungen durch bedeutende Universitäten und Institutionen zu erreichen. Er gab Ratschläge, vor welchem Auditorium er welche Themen behandeln und welchen Ton er anschlagen sollte. Er stellte den Reiseplan zusammen und schickte Troeltsch, der 1923, auf dem Höhepunkt der Inflation in Deutschland, eine Auslandsreise nicht bezahlen konnte, sogar Geld, um die anfallenden Kosten für Fahrt und standesgemäße Kleidung bestreiten zu können.

Doch wenige Tage vor Antritt der Reise am 1. Februar 1923 starb Ernst Troeltsch. Von Hügel bezeichnete dessen frühen Tod als den schwersten Schicksalsschlag, den er seit dem Tod seiner Tochter Gertrud im August 1915 erlitten hatte. Von Hügel war bereits über siebzig Jahre alt, als er einige der Vorträge seines verstorbenen Freundes an dessen Stelle verlas. Er konnte auch noch ihre Veröffentlichung in englischer und deutscher Sprache besorgen.

Die Problematik, in der sich von Hügel in besonderer Weise auf die Theologie Ernst Troeltschs stützte, war die Bestimmung des Verhältnisses von *Natur und Übernatur*, eine Frage, in der Troeltsch in seiner eigenen Kirche heftig umstritten war. Während Troeltsch aber seine Konzeption in einer Kontroverse um den Supranaturalismus darstellte, formulierte von Hügel, gewitzt durch die Erfahrungen im Modernismusstreit, durchwegs positiv. In der geistlichen, spirituellen Beratung konnte er seine theologische Grundauffassung praktisch verwirklichen.

Die menschliche, personale Wirklichkeit ist nach von Hügel, wie bereits dargestellt wurde, nicht durch die Entgegensetzung und die räumliche Abgrenzung, sondern durch die gegenseitige Durchdringung bestimmt. Dieses Charakteristikum prägt auch seine Vorstellung über das Verhältnis von Natur und Übernatur: beide Bereiche können nicht räumlich in klarer und eindeutiger Weise voneinander getrennt werden, sie stehen nicht neben- oder übereinander, sondern sie durchdringen sich und gestalten sich damit zu einem neuen Ganzen um. Natur und Übernatur sind so aufeinander zugeordnet, daß das eine nicht ist und nicht wirkt, wo nicht auch das andere ebenfalls verwirklicht wäre. Ihr Verhältnis ist nicht das der gegenseitigen Ausschließung, sondern der Durchdringung.

Damit ist es nach von Hügel unmöglich, natürliche und übernatürliche Bereiche streng voneinander zu trennen. Die Wirklichkeit als ganze stellt sich als natürlich-übernatürliche Realität dar. Dies gilt auch für die *Religionen*. Er unterscheidet nicht zwischen einem übernatürlich gewirkten Christentum und natürlich entstandenen Religionen: die Religionen und das Christentum stehen insgesamt im Rahmen der menschlich-göttlichen Gesamtwirklichkeit. Sicher findet sich im Christentum – dies ist für von Hügel keine Frage – eine Dichte der Inkarnation göttlicher Wirklichkeit, die die anderen Religionen nicht haben; eine prinzipielle Sonderstellung kann für das Christentum dagegen nicht erhoben werden. Die Konzeption von der gegenseitigen Durchdringung verbietet es, das Christentum in einen übernatürlichen, die anderen Religionen in einen streng davon getrennten natürlichen Bereich zu stellen. Die traditonelle Apologetik zur Zeit des Antimodernismus hatte das Christentum durch den Aufweis des Wunders als eine im Bereich des Übernatürlichen gewirkte Existenzform begriffen: hier haben die »*natürlichen*« Erklärungsversuche der Welt und der Wissenschaften keinen Platz. Wer nach diesem Verständnis in die Welt der Übernatur eintritt, unterwirft sich neuen und anderen Gesetzen, als sie »draußen« üblich sind und gelten. Die Forschungen, die Wissenschaften, die Organisationsformen der Gesellschaft haben hier *prinzipiell* kein Recht mehr. Erforschung der Schrift und der Kirchengeschichte, Untersuchungen über die Organisation der Kirche und die systematisch theologische Arbeit dürfen – diesen Vorstellungen zufolge – nicht nach den Gesetzen betrieben werden, die sonst für historische, philosophische und soziologische Forschungen gelten. Alle natürlichen Wissenschaften werden hier für prinzipiell unzuständig erklärt.

Dagegen vertrat von Hügel die Auffassung, daß der christlichen Lehre nur eine Sicht entsprechen könne, die die Übernatur nicht räumlich von der Natur scheidet: *rein* übernatürliche Gewirktheit gibt es ebensowenig, wie *rein* natürliche Bereiche. Von Hügel argumentierte an dieser Stelle unter dem Einfluß der Aussage Huvelins: »Wunder sind mir zutiefst unsympathisch«. Keinesfalls läßt sich mittels des Wunders das Christentum von den anderen Religionen und der Wissenschaft isolieren.

Dabei würde man von Hügel mißverstehen, wenn man seine Lehre als eine Minimalisierung der Wirksamkeit Gottes in der Welt und der Bedeutung Gottes für den Menschen betrachten wollte. Aber Gott wird nicht dort gefunden, wo der Mensch schwach ist, wo seine natürlichen Erklärungsversuche an Grenzen stoßen, wo er nichts mehr vermag. Gott lebt vielmehr dort, wo die Natur stark und mächtig entfaltet ist. Gott ist nicht der *Lückenbüßer* menschlicher Schwachheit und Unkenntnis, sondern die Kraft, die in und hinter der menschlichen Aktivität wirkt und sie über die innermenschlichen Möglichkeiten hinaus zu einem Unbedingten erhebt. »Um den Tatsachen gerecht zu werden, brauchen wir offensichtlich nicht eine Konzeption, die die menschliche Wirksamkeit minimalisieren würde und diese in dem Maße eingeschränkt sieht, in dem Gottes Wirken wächst; sondern im Gegenteil eine Konzeption, die dem geheimnisvollen Paradox, das alles echte menschliche Leben durchdringt, standhält und es festzuhalten vermag, und die uns zeigt, daß die menschliche Seele im Maße des göttlichen Wirkens in ihr eigen-wirksam ist... Gnade und freier Wille steigen und fallen im Maße ihrer Wirksamkeit gemeinsam. Der Mensch ist niemals so wahrhaft aktiv, so wirklich er selbst, als wenn er am meisten von Gott in Besitz genommen wird« (ME I S. 80).

Natur und Übernatur liegen ineinander und durchdringen sich. Sie sind weder horizontal noch – in der Annahme gesonderter übernatürlicher Bereiche – vertikal voneinander zu trennen. Die gegenseitige *Durchdringung* drückte von Hügel in einem Vergleich aus der Geologie aus: »Wir haben hier keine sedimentäre und keine plutonische, sondern eine metamorphische Formation vor uns« (EA I S. XIV). Natur und Übernatur liegen nicht wie die Schichten verschiedener Ablagerungen übereinander, sie bilden auch keine in sich einheitliche und abgrenzbare Masse, wie sie Gestein vulkanischen Ursprungs darstellt. Vielmehr sind hier verschiedene Wirklichkeiten wie bei metamorphischen Formationen zu einem neuen Ganzen aus mehreren Ausgangsprodukten verwandelt.

Die Bestimmung des Verhältnisses von Natur und Übernatur, von Gott und Welt, die die Hügelsche Theologie durchzieht, brachte ihre reifste Frucht in Friedrich von Hügels spiritueller Theologie und geistlicher Beratung. Wenn Gott nur in der Welt erfahren werden kann, wenn es keine in sich und für sich stehende rein mystische Gotteserfahrung gibt, wenn wir Gott nicht außer der Welt suchen müssen, weil er sich selbst in die Welt als ganze inkarniert hat, dann verlangt jedes echte religiöse und spirituelle Leben nach Kontakt mit der Welt, nach Hineintauchen in die irdischen Wirklichkeiten. Religion bedarf *um ihrer selbst* willen der nicht-religiösen Betätigung. Übernatur ist nach von Hügels Überzeugung dort am kräftigsten entwickelt, wo der Mensch auch aus eigener Kraft etwas leistet und tut; denn Gott ist nicht stark, wo der Mensch schwach ist, er wirkt vielmehr in der natürlichen menschlichen Entfaltung und durch sie. Natur und Übernatur, Mensch und Gott stehen nicht in Konkurrenz zueinander. »Gottes Wirken bleibt nicht außerhalb des Tuns des Menschen und verdrängt es nicht; es ist vielmehr – wie unser Herr selbst uns gelehrt hat – gleich dem Wirken der Hefe im Teig, die ihre verborgene Kraft durch ihr Verhältnis zu der Menge des Mehls, die sie durchdringt und umgestaltet, zeigt« (ME II S. 136).

Dies bedeutet, daß der religiöse Mensch des beständigen Kontaktes mit der Welt und der Natur bedarf. Die Pflege der natürlichen Fähigkeiten ist für von Hügel das unverzichtbare Fundament, auf dem allein Religion aufbauen und kraftvoll erstarken kann. Vor allem in seinen letzten Lebensjahren drückte er diesen Gedanken immer wieder aus: Religion kann nur gedeihen, wenn sie nicht das Ganze der menschlichen Aktivitäten und Interessen ausmacht. Sie bedarf um ihrer selbst willen des nicht-religiösen Lebens und der nicht-religiösen Praxis und Beschäftigung. Er verglich Religion mit dem Riesen *Antäus*, dem Sohn der Erdmutter Gäa, der durch die Berührung mit der Erde stets neue Kraft gewann und so lange unbezwingbar blieb, als er auf dem Boden stand. Seine Macht schwand erst dahin, als Herkules ihn vom Boden hochhob. Eine Religion wird kraftlos und schwach, wenn sie sich von den anderen Lebensbereichen zurückzieht und über die Welt erheben will. Von Hügels geistliche Ratschläge enthalten darum immer wieder die entschiedene Forderung nach natürlicher Entfaltung und Bildung. So schrieb er an seine Nichte: »Wenn es eine Gefahr für die Religion gibt – wenn es einen naheliegenden, beinahe unwiderstehlichen Drang gibt, der während der ganzen langen Geschichte der Religion ihre Macht untergraben und den Weg zu den verhängnisvollsten Gegenreaktionen bereitet hat, dann ist es genau diese: zuzulassen, daß die Faszination der Gnade die Schönheiten und die Pflichten der Natur ertötet und sie nicht beachten läßt... Es gibt keine Gnade ohne die Natur als Grundlage, Anlaß und Material, und es gibt keine Natur ohne

Gnade« (SL S. 288). Die Pflege der nicht-religiösen Interessen gehört als unabdingbarer Bestandteil in die Religion.

Als die Nichte ihm mitteilte, daß ein zunehmendes Interesse an Religion und Frömmigkeit ihr die Lektüre der klassischen griechischen Literatur – von Hügel hatte Homer und Pindar empfohlen – immer weniger anziehend erscheinen lasse, warnte ihr Onkel: »Gerade weil Du Dich nach der Religion sehnst, möchte ich, daß Du auch die Tätigkeiten und Interessen, die nicht unmittelbar religiös sind, weiterpflegst und noch sorgfältiger und liebevoller pflegst. Und das nicht nur wegen des ›nun, selbstverständlich müssen wir essen und selbstverständlich müssen wir unsere kleinen Entspannungen haben‹, sondern noch viel mehr, weil Du ohne diese nicht unmittelbar religiösen Interessen und Tätigkeiten, wenn auch langsam und unmerklich, den Stoff verlierst, in dem und auf den die Gnade wirken kann« (SL S. 288).

Um der Religion willen ist es unabdingbar, daß auch eine nichtreligiöse Betätigung ausgeübt wird, sei es als Beruf, sei es als sorgfältig gepflegtes Hobby. In einem unveröffentlichten Brief an einen Theologen, den er von der Gefahr bedroht sah, daß er neben seiner religiös-theologischen Leidenschaft keinerlei »weltliche« Wirklichkeit mehr aufkommen lasse und positiv würdigen könne, schrieb von Hügel noch kurz vor seinem Tod: »Was tun Sie, worum bemühen Sie sich in einer *nicht-religiösen* Art? Ich fürchte, Sie haben keinen normal bezahlten Beruf; aber haben Sie doch ein festes und bewußt ausgeübtes Hobby von nicht direkt religiösem Charakter? Sind Sie verheiratet? Ich fürchte sehr, Sie sind es nicht. Wie schade!... Verrichten Sie Gartenarbeit? Das würde genügen. Fischen Sie? Nicht ganz so gut, aber immer noch der Mühe wert. Fahren Sie in Ihrer Region umher und suchen Sie nach römischen Ruinen?... Alles und jedes, was schicklich ist und wozu Sie eine Neigung verspüren, erfüllt den Zweck. Es muß nur nicht-religiös sein und doch mit Überlegung und

SPÄTE EHRUNGEN

Von Hügel machte in einem Aufsatz deutlich, wie er der Theologie Ernst Troeltschs begegnete: »Ich wünsche und hoffe, ein treuer Katholik zu sein. Aber gerade die Überzeugungen und Haltungen, die ich in meinem eigenen Leben für die zentralsten katholischen erachte, erscheinen mir in stets zunehmendem Maße der Hilfe dessen zu bedürfen, was in Troeltschs positiven Überzeugungen am meisten lebenskräftig und reich ist« (EA I S. 146). Von Hügel wollte die Theologie Troeltschs für den Katholizismus fruchtbar machen. Der *Katholizismus* in seiner besten und rechten Verwirklichungsform war ihm immer durch *Fülle, Reichtum* und *Umfassendheit* geprägt. Insofern unterschied sich sein Bild vom Katholizismus erheblich von der konkreten Verwirklichung des konfessionellen Katholizismus am Anfang unseres Jahrhunderts, der weithin gerade diese Weite und Fülle, die Fähigkeit, die lebenskräftigen und positiven Möglichkeiten zu menschlicher Selbstverwirklichung zu assimilieren, verloren hatte. Es war von Hügels Ziel, den römischen Katholizismus wieder zu seiner echt *katholischen* Haltung, zu Weite und Reichtum zurückzuführen. Diesem echten Katholizismus kann nichts fremd sein, was wahr und gut und edel ist in dieser Welt.

Der katholische Denkansatz eröffnete von Hügel den Zugang zu allen *christlichen Konfessionen* und darüber hinaus auch zu den verschiedenen *Religionen*. Jeder Mensch, aber auch jede Kirche und jede Religion habe ein Recht darauf, immer von ihrer besten und lebenskräftigsten Seite her interpretiert zu werden. Die Weite des Katholischen bedeutete somit eine *ökumenische Öffnung* des Denkens, die sich bei Friedrich von Hügel vor allem darin ausdrückte, daß er mit vielen nicht-katholischen Theologen in engstem und vertrautem Umgang lebte. Führende Gestalten der sich seit 1910 konstituierenden ökumenischen Bewegung nannten ihn ihren Freund, so der lutherische Erzbischof von Uppsala, *Nathan Söderblom,* der deutsche Theologe *Friedrich Heiler,* in England vor allem die anglikanischen Bischöfe *Gore* und *Talbot.* In der *Geschichte der ökumenischen Bewegung* wird der Baron als »der katholischste aller römischen Katholiken«[31] bezeichnet, eine Charakterisierung, die nur dann zu Recht besteht, wenn man »katholisch« in der Fülle versteht, die er gelebt hat.

In nicht-katholischen Kreisen übte von Hügel einen sehr weiten Einfluß aus. Charles Gore, der Bischof von Oxford, nannte ihn den »gelehrtesten lebenden Menschen«, *Dean Inge,* der durch seine umfangreiche schriftstellerische Tätigkeit weithin beachtete Dekan von St. Paul in London, schrieb: »Es gibt keinen Schriftsteller in der Religionsphilosophie, mit dem ich in größerer Übereinstimmung wäre und von dem ich mehr gelernt hätte, als Friedrich von Hügel.«[32] In der Times wurde er als der einflußreichste religiöse Denker der neueren Zeit neben Newman bezeichnet – kein dritter ließe sich gleichrangig daneben stellen. In den Werken Heilers ist von Hügel neben Thomas von Aquin der am meisten genannte katholische Theologe. Er schrieb über den Baron: »Meine Veröffentlichungen zeigen auf Schritt und Tritt, wieviel ich von seiner hochsinnigen Frömmigkeit und geistestiefen Forscherarbeit gelernt habe. Ich kenne außer ihm nur einen Mann, der in ähnlicher Weise meine innere Entwicklung bestimmt hat, und das war sein wärmster Freund und

[31] *R. Rouse,* in: *R. Rouse-S. Ch. Neill,* Geschichte der ökumenischen Bewegung 1517–1948, Göttingen 1957, Bd. I, S. 463.

[32] *W. R. Inge,* God and the Astronomers, London–New York–Toronto 1933, S. 120.

Bewunderer, Erzbischof Söderblom. Friedrich von Hügel war der größte römisch-katholische Laientheologe, ja der größte katholische Denker der Gegenwart« (SL S. 54). Und Söderblom schrieb in einem Nachruf auf von Hügel: »Sein Geheimnis ist die aufrichtige Herzensgüte, die sein Wesen ausstrahlte, das persönliche Interesse für den Menschen als solchen, gleichgültig ob Papst oder Droschkenkutscher, Deutscher oder Engländer, Professor oder Barmherzige Schwester. Und ich würde sagen, daß gerade dieses lebendige, unwillkürlich persönliche Interesse, nicht zu bekehren oder zu beeinflussen, sondern ganz einfach das Göttliche und Menschliche bei einem Jeden zu erfassen und zu lieben und darum auch einen für gewöhnliche Augen uninteressanten Menschen der Aufmerksamkeit wert zu finden, daß gerade diese Eigenschaft den echt evangelischen Zug bei Friedrich von Hügel ausmachte«.

Die Weite des Katholischen machte von Hügel zu einem geschätzten Partner in den verschiedensten theologischen und religionsphilosophischen Kreisen. In zunehmendem Maße wurde er vor allem in *nicht-katholischen* Kreisen zu Vorträgen eingeladen. Eine Reihe dieser Reden und Aufsätze, die er in zumeist nicht-katholischen Zeitschriften veröffentlichte, ließ er in seinen 1921 erstmals erschienenen Sammelband *Essays and Addresses* aufnehmen. Die Wertschätzung, der er sich vor allem außerhalb seiner Kirche erfreuen konnte, fand darin ihren Ausdruck, daß ihm, der nie eine Universität besucht hatte, die Universitäten St. Andrews und Oxford die *Ehrendoktorwürde* verliehen. Er war der erste Katholik seit der Reformation, der so von Oxford ausgezeichnet wurde.

Eine hohe Ehrung bedeutete es für den Baron, daß er 1922 von der Universität Edinburgh gewählt wurde, in den Studienjahren 1924/25 und 1925/26 die Gifford Lectures, eine traditionsreiche Stiftung für Vorlesungsreihen an schottischen Universitäten, zu halten. Als Thema wählte er die Problematik, die ihn seit der Modernismuskontroverse am intensivsten beschäftigt hatte: die Wirklichkeit Gottes und die Möglichkeit einer Gotteserfahrung im Menschen. Mit der Ausarbeitung dieser Vorträge beschäftigte er sich bis zu seinem Tod am 27. Januar 1925, ohne daß er zu einem Abschluß gelangt wäre: »The Reality of God« ist der Titel seines letzten, unvollendet nachgelassenen Werkes.

Trotz dieser späten Ehrungen und der vielen Anerkennungen, die ihm bei seinem Tode zuteil wurden, blieben die Wirkungen seines Denkens begrenzt. Er selbst hatte sich ja zu Lebzeiten gegen eine Popularisierung seiner Ideen gesträubt. In der katholischen Kirche war und blieb er mit dem *Odium des Modernismus* behaftet. Dieser war kein Thema der Theologie mehr, nachdem es um die Veröffentlichung der Memoiren Loisys 1931/32 noch einmal eine kurze Aufregung gegeben hatte; er wurde vielmehr aus dem Bewußtsein verdrängt, und mit dem Modernismus fiel auch Friedrich von Hügel dem Vergessen anheim.

Bekannt war lediglich noch der Anti-Modernisten-Eid. »Modernismus« wurde mehr als ein halbes Jahrhundert hindurch – und ganz scheint dies auch heute noch nicht überwunden zu sein – in der Regel als pauschaler Vorwurf gegen alles erhoben, was als neu oder falsch empfunden wurde. Der Ungeklärtheit des Begriffs war es zu verdanken, daß konkrete Irrlehren nicht nachgewiesen zu werden brauchten.

In der evangelischen Theologie entwickelte sich das Denken in einer Richtung, die zum katholischen Anti-Modernismus eine Reihe von Parallelen aufweist. Die *»dialektische Theologie«* verstand sich als eine Gegenbewegung gegen die liberale Theologie, die den Modernismus stark beeinflußt hatte. Der Mensch und seine religiöse Praxis, die Anthropozentrik, die Mystik, die Betonung der religiösen Erfahrung, die Wertschätzung der Religionen als Heilswege, die Einbindung der Gestalt Jesu in den Rahmen der göttlich-menschlichen Universalwirklichkeit: all dies erscheint in der Theologie Karl Barths als Inbegriff des Widerchristlichen, des Versuchs des Menschen, *sich an Christus vorbei Gottes zu bemächtigen*. Was von Hügels Theologie zentral bestimmte, wird hier als Werk des Teufels verurteilt. Emil Brunners Buch »Erlebnis, Erkenntnis und Glaube« liest sich in der Zurückweisung der religiösen Biographie, aller pantheisierenden Tendenzen, von Institution und menschlichem Verstehen, des religiösen Erlebens und des religionspsychologischen Ansatzes wie eine *Gegenschrift* zu Friedrich von Hügels *Mystical Element of Religion*. In dieser theologischen Grundausrichtung, die den Protestantismus weithin bestimmte, konnten Gedanken, wie sie in der Hügelschen Religionsphilosophie begegnen, allein als Gegensatz gegen die christliche Offenbarung und den Glauben verstanden werden.

In der *neueren Theologie* scheint sich hier eine Wandlung zu vollziehen, und dies in gleicher Weise im evangelischen wie im katholischen Bereich. Die Wirklichkeit des Menschen, seine Sehnsüchte, Wünsche und Bestrebungen werden wieder positiv gewürdigt, Religion und Religionen erscheinen wieder als legitime Möglichkeiten des Menschen, die die Voraussetzung für den Glauben und das Hören der Offenbarung bilden. Besonders in der *praktischen Theologie* wird um ein neues Verständnis der religiösen Erfahrung gerungen. In der historisch-exegetischen Forschung konnte sich die im Modernismus verfochtene Methode und ein großer Teil der mittels dieser Methoden erreichten Einzelergebnisse allgemein durchsetzen.

Das Studium des Modernismus wird nicht nur dazu führen, Friedrich von Hügel und seine Freunde gerechter zu beurteilen; ihr Leiden an der Kirche kann auch für die Beantwortung der Fragen fruchtbar gemacht werden, auf die die Kirchenleitung heute nicht mehr so reagieren darf, wie sie es in der Ära des Anti-Modernismus weithin getan hat.

ABKÜRZUNGEN

Werke Friedrich von Hügels:

CE	Du Christ éternel et de nos christologies successives, in: La Quinzaine 58 (1904) S. 285–312.
EA I, II	Essays and Addresses on the Philosophy of Religion, Bd. I London–New York 1921, Bd. II London–New York 1926.
EL	Eternal Life. A Study of its Implications and Applications, Edinburgh 1912.
ET I	Experience and Transcendence (Manuskript eines Vortrags von 1903)
ET II	Experience and Transcendence, in: The Dublin Review 138 (1906) S. 357–379.
ME I–II	The Mystical Element of Religion as Studied in Saint Catherine of Genoa and Her Friends, 2 Bde, London 1908, ^{2}1923.
RG	The Reality of God and Religion and Agnosticism, London–Toronto–New York 1931.
SL	Selected Letters 1896–1924, London–Toronto–New York 1927, ^{2}1931.

Weitere Literatur:

Bar	L. F. Barmann, Baron Friedrich von Hügel and the Modernist Crisis in England, Cambridge 1972.
Bed	M. de la Bedoyère, The Life of Baron von Hügel, London 1951.
HT	M. D. Petre, Von Hügel and Tyrrell. The Story of a Friendship, London 1937.
Mém I–III	A. Loisy, Mémoires pour servir à l'histoire religieuse de notre temps, 3 Bde, Paris 1930f.

LITERATUR
(in Auswahl)

Hügel, F. v., The Mystical Element of Religion as Studied in Saint Catherine of Genoa and Her Friends, 2 Bde., London 1908, [2]1923 (abgek.: ME I, ME II).
– Eternal Life. A Study of its Implications and Applications, Edinburgh 1912 (abgek. EL).
– Essays and Addresses on the Philosophy of Religion, Bd I London–New York 1921, Bd. II London–New York 1926 (abgek. EA I, EA II).
– Selected Letters 1896–1924, hrsg. u. eingel. v. B. Holland, London–Toronto–New York 1927, [2]1931 (abgek. SL).
– The Reality of God and Religion and Agnosticism hrsg. v. E. G. Gardner, London–Toronto–New York 1931 (abgek. RG).
– Du Christ éternel et de nos christologies successives, in: La Quinzaine 58 (1904) S. 285–312 (abgek. CE).
– Experience and Transcendence (Manuskript eines Vortrags von 1903, nur für private Benützung) (abgek. ET I), überarbeitet:
– Experience and Transcendence, in: The Dublin Review 138 (1906) S. 357–379 (abgek. ET II).
– Briefe an seine Nichte, übers. u. eingel. v. K. Schmidthüs, Freiburg 1938.
– Religion als Ganzheit, ausgew. u. übers. v. M. Schlüter-Hermkes, Düsseldorf 1948
– Andacht zur Wirklichkeit. Schriften in Auswahl, hrsg., übers. u. eingel. v. M. Schlüter-Hermkes, München 1952.
Barmann, L. F., Baron Friedrich von Hügel and the Modernist Crisis in England, Cambridge 1972 (dort weitere Literatur) (abgek. Bar).
Bedoyère, M. de la, The Life of Baron von Hügel, London 1951 (abgek. Bed).
Loisy, A., Mémoires pour servir à l'histoire religieuse de notre temps, 3 Bde, Paris 1930 f (abgek. Mém I–III).

Neuner, P., Friedrich von Hügels Bild von der Kirche. Kirchenvorstellung im Modernismus und moderne Kirchenreform, in: Stimmen der Zeit 189 (1972) S. 25–42.
– ›Modernismus‹ und kirchliches Lehramt. Bedeutung und Folgen der Modernismus-Enzyklika Pius' X., in: Stimmen der Zeit 190 (1972) S. 249–262.
– Religiöse Erfahrung und geschichtliche Offenbarung. Friedrich von Hügels Grundlegung der Theologie, München–Paderborn–Wien 1977 (Literatur).
Petre, M. D., Von Hügel and Tyrrell. The Story of a Friendship, London 1937 (abgek. HT).
Troeltsch, E., Briefe an Friedrich von Hügel 1901–1923, eingel. u. hrsg. v. K.-E. Apfelbacher – P. Neuner, Paderborn 1974.

PERSONENVERZEICHNIS

Benigni, Umberto (1862–1934): Begründer und Chef der Organisation ›La Sapinière‹, die mit geheimdienstlichen Mitteln Theologen und Kirchenleitungen überwachte. Seine Agitation verdunkelte vor allem die letzten Jahre des Pontifikates Papst Pius X.

Blondel, Maurice (1861–1949): Französischer Philosoph. Verband eine philosophische Analyse der Tat mit christlicher Theologie. Seine Werke sind von wegweisender Bedeutung für die heutige Apologetik und Fundamentaltheologie.

Bremond, Henri (1865–1933): Entfaltete ein breitgefächertes schriftstellerisches Wirken. Bedeutend ist vor allem seine Erforschung der französischen asketischen und mystischen Literatur.

Duchesne, Louis (1843–1922): Kirchenhistoriker, Professor am Institut catholique in Paris und Direktor der Ecole française in Rom. Wurde wegen seiner geschliffenen und oft ironischen Ausdrucksweise des Modernismus verdächtigt.

Eucken, Rudolf (1846–1926): Professor für Philosophie in Jena. Vertreter eines neu-idealistischen Personalismus. Erhielt 1908 den Nobelpreis für Literatur.

Heiler, Friedrich (1892–1967): Ursprünglich katholischer Theologe, konvertierte 1919 zur evangelischen Kirche. Professor in Marburg. Vorsitzender der »Hochkirchlichen Vereinigung«. Bemühte sich besonders um die ökumenische Annäherung der Kirchen.

Huvelin, Henri (1838–1910): Bedeutender Seelsorger in Frankreich. Er wurde das bleibende Vorbild von Hügels als »geistlicher Direktor«.

Loisy, Alfred (1857–1940): Exeget, Professor am Institut catholique in Paris. Als Hauptvertreter des französischen Modernismus 1908 exkommuniziert. 1909 Professor für Religionsgeschichte am Collège de France. Vertrat nach seiner Exkommunikation eine Religion der Humanität.

Mercier, Désiré (1851–1926): Belgischer Theologe, seit 1906 Erzbischof von Mecheln und Kardinal. Initiator der »Mechelner Gespräche« mit der anglikanischen Kirche.

Merry del Val, Raffaele (1865–1930): Kardinalstaatssekretär unter Papst Pius X. Entschiedener Kämpfer gegen die als »Modernismus« verurteilten Neuansätze in der Theologie.

Mignot, Eudoxe-Irénée (1842–1918): Bischof von Fréjus, 1899 Erzbischof von Albi. Vertrauter Loisys und von Hügels. Richtete 1914 an den Kardinalstaatssekretär eine Denkschrift gegen den Integralismus Benignis und dessen Form des Anti-Modernismus.

Newman, John Henry (1801–1890): Englischer Theologe. Konvertierte 1845 von der anglikanischen zur römisch-katholischen Kirche. 1879 Kardinal. Newman und von Hügel werden als die bedeutendsten englischen Theologen der neueren Zeit bezeichnet.

Pacelli, Eugenio (1876–1958): Seit 1939 Papst Pius XII.

Petre, Maude (1861–1942): Gönnerin und engste Vertraute Tyrrells. Veröffentlichte die zweibändige (indizierte) Biographie Tyrrells. Enge Kontakte zu von Hügel, Bremond und Loisy.

Pius X. (1835–1914): Guiseppe Sarto, seit 1903 Papst. Unter seinem Pontifikat erreichte die Kontroverse um den Modernismus ihren Höhepunkt.

Rampolla, Mariano (1843–1913): Kardinalstaatssekretär unter Papst Leo XIII. Gegen seine zu erwartende Wahl zum

Papst legte während des Konklaves 1903 der österreichische Kaiser sein Veto ein. Unter Papst Pius X. untergeordnete Stellung im vatikanischen Dienst.

Schell, Hermann (1850–1906): Bedeutendster Vertreter des Reformkatholizismus in Deutschland. Seine Schriften wurden 1898 teilweise indiziert. Betrachtete den Katholizismus als »Prinzip des Fortschritts«.

Söderblom, Nathan (1866–1931): Schwedischer lutherischer Theologe, Erzbischof von Uppsala. Führender Vertreter und Mit-Initiator der ökumenischen Bewegung.

Troeltsch, Ernst (1865–1923): Evangelischer Theologe und Philosoph, Professor in Heidelberg und Berlin. Auseinandersetzungen mit dem konservativ-orthodoxen Neuprotestantismus. Bedeutende historische und soziologische Arbeiten zur Grundlegung einer Religionsphilosophie.

Tyrrell, George (1861–1909): Konvertierte 1879 von der anglikanischen zur römisch-katholischen Kirche, Jesuit. Brach unter dem Einfluß des Studiums der Mystik mit der Neuscholastik. Als Hauptvertreter des englischen Modernismus 1907 exkommuniziert. Engster Vertrauter von Hügels.

Vaughan, Herbert Alfred (1832–1903): Kardinal und Erzbischof von Westminster. Leitete die Kommission, die die anglikanischen Weihen für ungültig erklärte.

ZEITTAFEL

5. Mai 1852		Friedrich von Hügel in Florenz geboren
1859		Übersiedlung nach Brüssel
1867		Übersiedlung nach Torquay (Südengland)
1870		Typhuserkrankung in Wien, beginnende Schwerhörigkeit und Taubheit. »Konversion«.
1873	November	Heirat mit Mary Herbert
1876	Juni	Besuch bei J. H. Newman
1884	Juni	Beginn der Freundschaft mit Louis Duchesne und Abbé Huvelin
1886	Mai	Huvelins »geistliche Regeln«
1893	Oktober	Erstes Zusammentreffen mit A. Loisy in Paris
	November	Treffen mit Bischof Mignot
	–	Veröffentlichung der Enzyklika »Providentissimus Deus« über die Inspiration der Schrift
	–	A. Loisy als Professor am Institut catholique abgesetzt.
1895	Januar	Memorandum für Kardinal Rampolla über die Gültigkeit der anglikanischen Weihen
	–	Kontakt mit E. Pacelli
	September	Die Bulle »Apostolicae curae« erklärt die anglikanischen Weihen für null und nichtig.

	Winter	E. Pacelli distanziert sich von liberalen Kreisen.
1896	Januar	Beginn der Freundschaft mit Rudolf Eucken
1897	Januar	Entscheidung des Heiligen Offizium über die Echtheit des »Comma Joanneum«.
	September	Beginn der Freundschaft mit G. Tyrrell
1898		Veröffentlichung einer Studie über die hl. Katharina von Genua und die Mystik.
1899	Februar	Erstes Zusammentreffen mit M. Blondel
1901	April	Beginn des Briefwechsels mit E. Troeltsch
	November	Vorbereitung zur Gründung der »Bibelkommission«
1902	Mai	Treffen mit E. Troeltsch in Heidelberg.
	November	A. Loisy veröffentlicht »L'Evangile et l'Eglise«.
1903	Januar	Beginn der Kontroverse mit Blondel über die historische Schriftauslegung
	Mai	Vortrag »Experience and Transcendence«.
	August	Wahl Pius X.
	Oktober	Loisy veröffentlicht »Autour d'un petit livre«.
	Dezember	5 Bücher Loisys (darunter »L'Evangile et l'Eglise«) auf den Index gesetzt.
1906	Februar	G. Tyrrell aus der Gesellschaft Jesu entlassen.
1907	Mai	A. Loisy verteidigt von Hügel in einem Brief an den Präfekten der Indexkongregation.
	Juli	Dekret »Lamentabili sane exitu« des Heiligen Offizium.

	August	Modernistentreffen in Molveno
	September	Enzyklika »Pascendi dominici gregis« gegen die Lehren der Modernisten
	Oktober	Tyrrell exkommuniziert.
	November	Zeitschrift »Il Rinnovamento« indiziert.
1908		Veröffentlichung von Mystical Element of Religion
	März	Loisy exkommuniziert.
1909	Juli	Tyrrell gestorben, Bremond vorübergehend suspendiert.
1912		Veröffentlichung von »Eternal Life«.
1914	Juli	Verleihung der Ehrendoktorwürde durch die Universität St. Andrews, Schottland.
1914	August	Aufruf der 93 deutschen Gelehrten als Rechtfertigung des Kriegs – Bruch mit R. Eucken.
1915	August	Tod der Tochter Gertrud in Rom.
1918	März	Erzbischof Mignot verstorben.
1920	Juni	Verleihung der Ehrendoktorwürde durch die Universität Oxford.
1921		Veröffentlichung der Aufsatzsammlung »Essays and Addresses on the Philosophy of Religion«.
1922	April	L. Duchesne verstorben.
1923	Februar	E. Troeltsch verstorben.
27. Januar 1925		Friedrich von Hügel stirbt in London.
1926		Veröffentlichung des 2. Bandes der »Essays and Addresses«.
1927		Veröffentlichung der »Selected Letters 1896–1924«.
1930/31		Veröffentlichung der Memoiren Loisys.

1931	Veröffentlichung der unvollendeten Studien von Hügels: »The Reality of God and Religion and Agnosticism«.